CW00669889

CHARLES RANQUE

AIX

IMPRIMERIE J. NICOT, 16, RUE DU LOUVRE

1888

AVANT-PROPOS

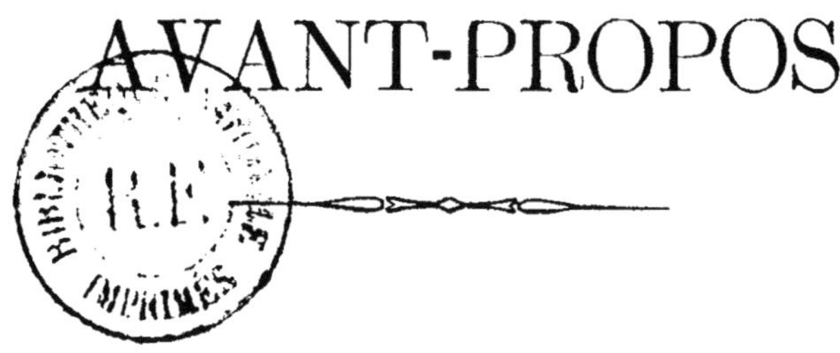

La notice biographique qu'on va lire n'était point destinée d'abord à la publicité.

Ecrite rapidement au lendemain d'un deuil cruel, elle n'avait d'autre but que de perpétuer dans une famille chrétienne, pour la consolation de ceux qui la composent aujourd'hui et pour l'exemple des générations suivantes, la douce et chère mémoire d'un jeune homme décédé à Marseille le 21 septembre 1886, âgé à peine de 28 ans, laissant parmi les siens ce parfum de piété qui caractérise les saints.

Cette vie prématurément brisée était si pleine déjà de mérites et de vertus ; dans un foyer souvent visité par le malheur, où l'on avait eu plusieurs fois le spectacle de morts admirablement résignées et pieuses, cette mort avait offert d'une manière si exceptionnelle et si visible des caractères de prédestination, qu'il importait d'en défendre tous les détails contre l'effacement partiel que produit à la longue le temps ou la dispersion.

Celle qui, depuis plusieurs années, tenait dans ce foyer la place de la mère ravie par la mort, la sœur aînée, qui avait pu mieux que tout autre suivre dès l'enfance, dans les progrès rapides de sa vertu, ce frère bien-aimé ; qui avait reçu plus souvent et avec plus d'intimité les épanchements de sa belle âme, se trouva naturellement désignée par la voix de tous les siens pour recueillir ces souvenirs et rédiger ce pieux mémorial de famille.

Mais la famille devait-elle garder pour elle seule le trésor de ces fortifiants exemples ? Quelques amis intimes qui avaient demandé et obtenu la communication de ces pages dès qu'elles furent achevées, et qui en avaient été profondément émus, pensèrent qu'il ne fallait point limiter à un cercle si restreint la salutaire impression que cette notice devait produire.

Pourquoi ne pas faire, dans une certaine mesure et toute proportion gardée, pour Charles Ranque, ce qu'on avait fait avec tant d'édification et de fruit pour le docteur Augustin Fabre ?

Sans doute, en raison de sa jeunesse, Charles Ranque était beaucoup moins connu ; ses vertus avaient jeté moins d'éclat. Toutefois, malgré le soin qu'il avait pris d'envelopper d'une ombre discrète ses qualités aimables et ses saintes pratiques, Charles Ranque a toujours vivement frappé l'attention de tous ceux qui l'ont connu. Ses condisciples et ses maîtres du collège pouvaient pressentir en lui, dès son adolescence, une perfection peu ordinaire. Ceux qui ont eu le bonheur de l'approcher plus tard à l'Ecole de Droit de Marseille et de Grenoble, dans les œuvres de zèle dont il a fait partie, ou même dans de simples relations d'affaires, n'ont pas tardé à éprouver pour lui une véritable vénération. Chez lui, en effet, la vertu en était arrivée à ce point où elle resplendit pour ainsi dire au dehors et se manifeste comme physiquement sur les traits du visage empreints de cette modestie et de cette douceur célestes, reflet d'une âme victorieuse de tous ses défauts et entièrement transfigurée par la grâce.

Tous ceux qui l'ont vu de près, surtout dans les derniers temps de sa vie, ont éprouvé cette impression. Nous pourrions citer telle famille, où il a été entrevu à peine pendant une courte visite et où son souvenir est resté vivant. Nous pourrions citer des prêtres, mis en relation par leur ministère, avec des âmes bien dévouées et bien pures, soit dans le cloître, soit dans le monde, et qui regardent comme une des grâces exceptionnelles de leur vie, d'avoir pu voir de près et admirer celle-là. Nous même qui écrivons ces lignes, nous avons rencontré plus d'une fois et surtout parmi les maîtres qui nous ont formé au sacerdoce, quelques-uns de ces prêtres d'élite auxquels la vénération publique, sans préjuger toutefois les jugements de l'Eglise, donne instinctivement le titre de saints. Chargé même de retracer dans une notice les principaux traits de leur carrière, nous avons dû les étudier de près et recueillir les plus édifiants souvenirs.

Eh bien ! nous pouvons le déclarer en toute sincérité et sans amoindrir en rien le culte voué à ces saintes mémoires, ces existences sacerdotales qui avaient édifié tout un diocèse et même plusieurs diocèses, ne nous ont rien offert de plus beau que la vie de ce jeune homme du monde si entièrement livré au souffle de la grâce, au milieu de toutes les séductions de la fortune et de la jeunesse. Quand il nous a été donné de passer en prières auprès de ses restes la dernière nuit, de prononcer sur lui au nom de l'Eglise la bénédiction suprême, nous n'avons pas éprouvé d'autre sentiment que celui dont nous étions pénétré quelques années auparavant en rendant, avec le clergé de tout une ville, les derniers devoirs à un prêtre de Saint-Sulpice mort en odeur de sainteté. C'était, dans le triste appareil de la mort, la même joie de sentir vivant, de sentir heureux auprès de Dieu celui que l'amitié pleurait encore, de savoir que nous avions eu, que nous allions avoir en lui un protecteur puissant dans le ciel. Et aujourd'hui encore c'est le même souvenir fortifiant et consolateur.

Nous avons cru trouver dans ce souvenir même le droit et le devoir de demander que ce jeune homme, si édifiant pour ceux qui l'avaient à peine entrevu, fût révélé dans sa pleine et pure beauté par la publicité donnée à cette notice où une affection fraternelle a su le faire revivre tout entier.

Oui, il est bien là tel que nous l'avons connu et aimé, avec cette modestie si naturelle et si rare qui dérobait à lui seul les vertus que tous admiraient en lui, avec cette amabilité exquise qui donnait tant de charme à ses relations, avec ce zèle ardent qui se trahissait parfois au cours de sa conversation par une parole échappée à son humilité, mais qui se manifestait surtout par ses œuvres, avec cette piété si tendre et si vive qui donnait à ses traits, lorsqu'il était à genoux dans une église, une expression vraiment extatique, pénétrant d'une émotion religieuse tous ceux qui le voyaient prier.

Aussi, après avoir insisté pour que cette notice fût livrée au public, quand on a cédé enfin à de longues et vives sollicitations, avons-nous insisté encore pour que rien ne fût modifié, par une main étrangère, à sa rédaction primitive. Telles qu'elles avaient été écrites, dans le premier brisement de la douleur, sans recherche de l'effet, sans l'ombre d'une prétention littéraire, ces pages nous ont paru être tout à fait ce qu'elles devaient être : l'expression sincère, complète et vivante d'une âme qui ne fut si belle que parce qu'elle ne chercha jamais à paraître.

C'est du reste Charles Ranque qui s'y peint lui-même par ses lettres, dont les extraits forment une partie assez considérable de la notice, par ses paroles pieusement recueillies, par les traits de sa vie fidèlement retenus et racontés dans un style d'une simplicité et d'une onction pénétrante qui s'harmonise parfaitement avec le style de ses propres lettres, et suffirait à lui seul pour révéler entre celui qui est l'objet de ce récit et celle qui en est l'auteur un lien fraternel.

S'il nous était permis d'exprimer un regret, ce serait celui de ne pas voir ces extraits de lettres plus multipliés encore et plus étendus. Mais nous savons que pour se conformer scrupuleusement, trop scrupuleusement peut-être, aux dernières volontés du cher mourant, on a brûlé tous ses cahiers de retraite, toutes les notes intimes fort volumineuses auxquelles il avait confié, sans doute, le secret de ses entretiens avec Dieu. Quelle lumière les extraits de ces notes auraient pu jeter sur sa vie intérieure dont il a toujours cherché et souvent réussi à cacher les mystérieuses épreuves et les mystérieuses consolations ! Quelles touchantes effusions de piété nous auraient donné là une révélation complète de cette âme toujours réservée, un peu timide, même avec les siens et dans les épanchements les plus intimes, mais si ouverte avec Notre-Seigneur, la sainte Vierge et les saints, si tendrement familière avec eux ! De quelles faveurs secrètes nous aurions sans doute trouvé le témoignage de la part de ce Dieu qui ne se laisse jamais vaincre en générosité, qui se donne à une âme dans la mesure où elle se donne à Lui et plus largement encore !

Mais ces secrets dont nous ne saurions avoir la révélation entière nous pouvons les deviner sans peine à travers ce qui nous est exprimé. En lisant cette notice, en voyant cette vertu sévère et aimable à la fois retracée dans toutes les nuances de sa beauté, dans sa grâce naissante, dans ses progrès, dans son épanouissement, et retracée en traits si vifs avec cette délicatesse de touche qu'une affection pieuse donne aussi bien et mieux que l'art le plus consommé, tous ceux qui ont vu de près Charles Ranque aux diverses phases de sa vie le reconnaîtront sans peine et diront comme nous : C'est bien lui.

Ce n'est pas d'ailleurs à ses seuls amis, quelque nombreux qu'ils soient, qu'il faut signaler cette notice. Tous ceux qui désirent s'édifier au contact des saints exemples, tous ceux qui aiment ce qui est grand, noble et pur, la liront avec fruit et avec bonheur. On l'a dit avec raison : « Tôt ou tard nous ne jouissons que des âmes. » Pour un esprit un peu élevé, en effet, il n'y a point de joie plus saine et plus vraie que celle de voir éclater ainsi la beauté morale, surtout lorsqu'elle offre ce caractère particulier et plus saisissant qui unit sur le même front, avec les grâces de la jeunesse, le charme austère du sacrifice et de la vertu.

En des temps aussi tristes que les nôtres, lorsque dans tous les rangs de la société, même dans les classes qui devraient donner d'autres exemples, la corruption et la frivolité s'étalent sans pudeur, lorsque dans l'affaissement des caractères les âmes les plus fermes se sentent à certains moments prises de vertige, il est utile de se donner ce consolant et fortifiant spectacle. On le trouvera dans les pages qui vont suivre ; nul, croyons-nous, ne pourra les parcourir sans éprouver pour l'angélique jeune homme qui les a inspirées une sympathie et une admiration bien vives ; on ne les lira pas surtout sans admirer et aimer davantage encore la Religion qui fait éclore de telles merveilles et Celui qui se révèle à nous dans ces âmes d'élite, images si transparentes et si attrayantes de l'austérité, de la pureté, de la tendresse de Jésus-Christ.

Ah ! c'est bien Jésus-Christ en effet qui remplit et qui domine cette vie tout entière dont le récit est comme un hymne à sa gloire.

C'est Lui et Lui seul qui a inspiré et qui explique les traits touchants, quelquefois sublimes, dont elle est semée, les douces et fortes vertus dont plusieurs, parmi ceux qui restent étrangers à la foi, ont subi le charme sans en connaître la source. Ceux-là se tromperaient bien, en effet, qui attribueraient uniquement à je ne sais quel don d'une nature exceptionnellement douée, cette amabilité constante, ces prévenances, cette charité sans bornes qui les pénétraient d'étonnement! Sans doute Dieu avait donné à Charles Ranque une âme naturellement ouverte à tous les instincts généreux et délicats. Mais s'il n'avait eu soin de greffer sur ces dons naturels la pratique fervente du christianisme, s'il n'avait été fidèle à étudier et à imiter chaque jour le divin modèle dont l'Evangile nous retrace l'histoire et dont les sacrements nous communiquent la vie, jamais il ne se fût élevé si haut au-dessus du niveau vulgaire. C'est parce qu'il a médité et aimé Jésus-Christ dans les abaissements de sa crèche qu'il a été si humble, si doux et si pur. C'est parce qu'il avait toujours dans le cœur le souvenir des exemples et des paroles du Sauveur qu'il fut si tendre pour les pauvres, si bon pour tous. C'est parce qu'il aima la Croix qu'il fut si austère et si fort. C'est parce qu'il vivait dans la familiarité de Jésus-Christ et jouissait de ses embrassements presque quotidiens, qu'il a porté en lui ce charme céleste et réalisé si complètement, au regard de tous, la parole de saint Paul : Notre vie à nous chrétiens est dans le ciel. *Nostra conversatio in cœlis est.*

C'est en méditant les exemples de Jésus-Christ comme il les a médités, en aimant le Sauveur et sa Mère comme il les a aimés, que chacun de ceux qui liront ce récit peut, s'il le veut, reproduire la beauté de cette vie et espérer pour sa dernière heure la douceur consolante de cette mort.

Tel est l'enseignement qui sort pour nous du tableau de cette existence. C'est pour cela, cher et saint Ami, que nous n'avons pas hésité à demander ce qui vous aurait alarmé et offensé de votre vivant, si votre humilité avait pu le prévoir. Ah ! s'il n'eût été question que de votre nom et de votre gloire, nous aurions respecté complètement le silence dans lequel vous aimiez à envelopper vos œuvres et vos vertus. Mais il ne s'agit pas de vous ; il s'agit de la gloire de Notre-Seigneur et de l'intérêt des âmes. Il s'agit de continuer par le simple et fidèle tableau de votre vie le bien que vous avez fait autour de vous par vos exemples, et de compenser celui que vous eussiez fait dans une sphère plus large si Dieu, écoutant vos secrets désirs plutôt que nos prières, ne vous eût pris si jeune pour le ciel.

Il s'agit de montrer à tant de tièdes chrétiens qui mesurent parcimonieusement à Dieu leurs adorations et leurs services, ce que c'est qu'un vrai chrétien ; il s'agit d'affermir et d'encourager dans la voie où ils sont engagés, ces jeunes gens de foi et de cœur qui furent vos amis, et qui restent vos admirateurs.

A une époque attristée par tant de blasphèmes et de scandales, quand Notre-Seigneur outragé par l'impiété des uns, oublié par l'indifférence des autres, est si faiblement consolé même par bien des fidèles, il s'agit de montrer, pour l'édification et la consolation de tous, comment Il est aimé et servi encore par des jeunes gens et des hommes du monde ; comment Il devrait être aimé et servi de tous les croyants.

Aussi, nous en sommes sûrs, du haut du ciel où vous n'avez plus maintenant votre humilité à défendre, où vous voyez dans une pleine lumière ce qui est le plus utile aux intérêts de Notre-Seigneur Jésus-Christ, non-seulement vous nous pardonnerez cette divulgation de vos vertus, mais vous nous bénirez et vous bénirez aussi ceux qui liront ce récit. Puissiez-vous nous aider tous ainsi par le secours de vos prières et par l'influence de votre exemple à justifier et à réaliser de plus en plus cette belle parole du curé d'Ars que vous avez si bien justifiée et réalisée vous-même : « C'est encore pour Jésus-Christ qu'il y a le plus d'amour sur la terre. »

J. P., *prêtre,*

Rédacteur de la *Semaine Religieuse d'Aix.*

Aix, 15 octobre 1887.

CHARLES RANQUE

I

Les premières Années

Sixième enfant d'une famille aussi heureuse que chrétienne, Charles Ranque naquit à Marseille le 24 novembre 1857. Il fut baptisé dans l'église de Saint-Charles *extra-muros* (la Belle-de-Mai) et reçut avec le nom de Charles ceux de Pierre et de Jean de la Croix. Selon le pieux désir de sa mère il fut consacré à la sainte Vierge le jour même de son baptême, par M. l'abbé Massot, curé de la paroisse, et c'est cette consécration sans doute qui lui obtint la faveur insigne de devenir un si dévoué serviteur de Marie.

Le bon Dieu qui lui avait donné un père excellent, une mère parfaite, sembla vouloir réunir dans ce petit être tous ses dons : dons physiques, dons de l'intelligence, dons du cœur. Pieux et réfléchi avant l'âge, Charles avait une humeur toujours égale, un esprit original et plein de saillies, un jugement droit, un caractère ferme et tout d'une pièce ; aussi était-il plus obstiné que violent, plus calme qu'enthousiaste. Son cœur pourtant était très sensible ; mais chez lui la raison sut toujours dominer la volonté et le sentiment. L'éducation un peu austère qu'il reçut dans sa famille, où le grand-père maternel tenait à faire observer les principes de l'ancien régime, contribua à développer les qualités précoces de Charles et à assouplir son caractère en lui inspirant le respect de l'autorité et l'amour du devoir. Avec les premières lueurs de l'intelligence se manifesta chez cet enfant un étonnant amour de la vérité, tout ce qui n'était pas la vérité lui faisait horreur :

« Ne me parlez pas de vos fées, disait-il à sa bonne, ce sont des mensonges ; racontez-moi l'histoire du bon Dieu, ou lisez-moi la vie de mes patrons ou des autres saints. Virginie, il ne faut aimer que ce qui est vrai et ce qui apprend à aller au ciel. »

Jamais on ne le vit employer le moindre détour pour éviter une punition quelconque. « Mentir c'est être lâche » disait-il à cinq ans ; ce sentiment fut celui de toute sa vie, aussi était-il impossible de rencontrer une nature plus loyale, plus droite, un jugement plus sain et mieux éclairé.

Doué d'une constitution très robuste, Charles préférait les exercices du corps aux jeux tranquilles, il se trouvait mieux au grand air que dans la maison et cependant il n'y avait pas pour lui de plus chère récompense que de le mener à l'église où la pompe du culte frappait sa jeune imagination et attirait son cœur. Tout petit il savait déjà retenir un sermon et l'on peut même croire qu'il en tirait profit par les réflexions que la parole sainte lui suggérait. Ces réflexions tout enfantines révélaient déjà avec quelle ardeur cette petite âme était poussée vers Dieu.

« Maman, dit-il un jour à sa mère, je veux être prêtre ou bien je me ferai Monseigneur, comme saint Charles, si les évêques aiment encore mieux le Bon Dieu. »

Mais pénétré de respect pour les fonctions sacrées, jamais dans ses jeux d'enfant il ne voulut simuler la moindre cérémonie religieuse ; et un jour où la naissance d'un frère avait donné à sa jeune sœur l'idée de faire le baptême de sa poupée : « Mangeons les bonbons, lui répondit-il ; mais ne faisons ni monsieur le curé ni l'Eglise, les choses saintes ne sont pas des jeux. » Aidé de cette même petite Rose, Charles préparait pour le mois de Marie un bel autel devant lequel ces pieux enfants chantaient des cantiques et récitaient le chapelet ; et lorsqu'après une maladie très grave de leur mère, tout le monde vantait l'habileté du docteur : « Oh ! non Maman, reprit Charles, ce n'est pas M. Dugas qui t'a guérie, c'est la sainte Vierge que Rose et moi nous avons tant priée. » Ces deux chers enfants rappelaient un peu sainte Thérèse et son frère : c'était la même ferveur dans la prière, le même attrait pour le bien ; ils s'excitaient mutuellement à aimer le bon Dieu et plusieurs fois leur mère eut la consolation de les entendre s'entretenir de leur première communion et du ciel.

Ce fonds de piété précoce n'empêchait point Charles d'avoir la pétulance de son âge. Un jour, à cause d'une espièglerie dont le souvenir nous échappe, il dut, selon le mode de correction de son grand-père, quitter la table après le potage et se tenir à la porte de la salle à manger ; punition qui ajoutait à l'humiliation une peine corporelle, car il était absolument défendu de rien donner jusqu'au repas suivant. Charles donc, excité par la faim et voyant les plats passer devant lui, poussa tout haut cette plainte :

« On est trop sévère dans cette maison ! J'ai déjà mal à l'estomac, je serai malade et je mourrai ; eh bien ! tant mieux, ce sera bien fait, tout le monde sera triste et alors ma pauvre petite marraine pleurera en disant : C'est bien dommage un si beau filleul. »

Cette saillie enfantine provoqua un rire général, la punition ne fut point enlevée ; mais ce qui demeura aussi ce fut le surnom de *beau filleul.*

« Que de péchés d'orgueil m'a fait commettre ce stupide surnom, avoua plus tard Charles à sa sœur ; sans le vouloir votre affection a causé mes premières fautes et jamais je ne serai assez humble pour réparer l'orgueil de mes premières années. Gardons-nous donc, ajouta-t-il, de donner aux enfants certaines épithètes qui flattent leurs passions naissantes et qu'ils sachent qu'en fait de beauté il n'y en a qu'une véritable, celle de l'âme. »

Assis un jour sur les genoux de son père :

« Papa, lui demanda-t-il, avec cette douce familiarité qu'autorisait la bonté de M. Ranque, Papa, pourquoi t'es-tu marié ? — Mais pour avoir le bonheur d'être ton père, répondit M. Ranque en l'embrassant. — Moi, reprit Charles, je ne me marierai jamais afin de ressembler aux anges ; c'est dans la vie de sainte Rose que j'ai appris cela. »

Ressembler aux anges par la pureté absolue, telle était déjà l'aspiration de ce petit cœur.

Mme Ranque s'occupait elle-même de sa nombreuse famille ; mais comme ses enfants étaient très rapprochés d'âge, elle se faisait aider par une servante, fort ancienne dans la maison, et afin d'éviter toute jalousie, chacun devait à son tour être habillé par la bonne. Ceci, paraît-il, déplaisait à Charles, car après avoir vainement essayé de lacer tout seul ses bottines et de se coiffer lui-même, il alla trouver sa sœur Rose et avec une grâce charmante il lui dit :

« Demande-moi ce qui peut te faire plaisir, mais, je t'en prie cède-moi ton tour d'être habillée par maman ; je suis un petit garçon et je n'aime pas qu'une femme me touche. »

Ce trait et d'autres semblables passaient alors pour de l'originalité, mais n'étaient-ils pas les prémices de cette vertu qui a été poussée par Charles jusqu'à un degré si éminent ? Et cette pudeur angélique, qui donnait au saint jeune homme tant de distinction et de charme ne s'était-elle pas laissée deviner dans l'enfant de cinq ans, qui contrarié d'avoir été embrassé par une dame, supplia sa mère de ne plus l'appeler au salon lorsqu'elle recevrait des visites ?

II

Le Collège

A l'âge de six ans Charles fut mis à l'externat du Sacré-Cœur de la rue Barthélemy où ses frères allaient déjà ; le supérieur, prêtre distingué, ne tarda pas à remarquer dans cette petite âme des germes de hautes vertus :

« Je n'aime pas les compliments, répondait l'écolier quand on le félicitait de ses notes ; je me moque d'être le premier de la classe, je préfère une bonne place au paradis. »

Lorsque Mgr Place, aujourd'hui archevêque de Rennes, fut nommé au siège de Marseille, les plus sages parmi les élèves du Sacré-Cœur furent conduits à l'évêché ; Charles était du nombre. Quoique un des plus jeunes il n'avait pas le moins de mentions, aussi se trouvait-il au premier rang. Monseigneur le remarqua et l'attirant à lui :

« Comment vous appelez-vous, mon enfant ? – Charles, répondit-il timidement. — Eh bien ! mon petit Charles, puisque nous avons le même nom je ne vous oublierai pas, et maintenant comme souvenir et récompense choisissez entre ces deux objets. »

C'étaient un poisson en or et une petite médaille de la sainte Vierge que Monseigneur lui offrait. Charles choisit la médaille. De retour au pensionnat, professeurs et élèves ne parlaient que de la bienveillance du nouvel évêque et de l'attention qu'il avait accordée au petit Charles, mais l'humilité précoce de celui-ci s'en effrayant, il courut vers l'aîné de ses frères, lui remit sa médaille et le supplia en grâce de ne rien raconter à sa famille, qu'il jugeait trop prodigue d'éloges à son égard.

Un autre trait va prouver que de bonne heure Charles avait su dominer sa volonté et la soumettre à la raison. Il avait vivement exprimé le désir d'aller un dimanche à la campagne avec ses frères ; mais l'ayant trouvé trop jeune pour supporter les fatigues d'une longue marche, son père le laissa. Quel ne fut pas le désappointement de Charles à son réveil ! Il resta un moment tout pensif, puis d'un air moitié triste, moitié consolé, il dit à sa mère :

« Avant de pleurer il faut que je me raisonne, papa est maintenant trop loin et ne peut m'entendre et si ce soir je pleure il n'y retournera pas pour moi. J'en serais donc pour mes larmes et je te ferais de la peine, chère Maman, toi qui n'y peux rien, si on m'a laissé. »

Une autre fois, c'était pour la Noël, sa mère craignant qu'il n'éprouvât quelque lassitude en assistant à l'office de minuit, voulut que Charles se couchât comme les plus jeunes : « Consolons-nous, dit-il à Rose qui faisait la moue, consolons-nous, le petit Jésus sera plus content de nous si nous obéissons que si nous allions à cette belle messe. »

Charles, disait M. l'abbé Chauvin, supérieur du Sacré-Cœur, n'est comme aucun autre de mes élèves ; plus je l'étudie, plus je vois en lui le détachement et la soumission d'un futur religieux :

« Il sera ce que le bon Dieu voudra, répondait son père, je ne le pousserai pas plus dans une voie que dans une autre, je tiens à ce que mes enfants soient sages, laborieux, bons chrétiens, mais bien libres de choisir leur état de vie. »

Tout ce qui s'opéra dans Charles fut donc l'œuvre du bon Dieu.

En 1867, Charles et ses deux frères Paul et Joseph quittèrent le Sacré-Cœur pour entrer à l'Ecole Saint-Joseph d'Avignon dirigée par les Révérends Pères Jésuites. Charles y fit la première communion le 27 mai 1869. Cet acte auguste, auquel il se préparait depuis longtemps avec une ferveur angélique, embauma sa vie tout entière du plus suave parfum :

« Quelle différence y a-t-il entre la première communion et nos autres communions, écrivait-il le 1er juin 1884, pourquoi tous nos jours de communion ne sont-ils pas des jours d'un pareil bonheur ? Aimerions-nous moins l'hôte divin qui vient nous visiter ? Ah ! non, je l'espère bien, car plus on le reçoit, plus on le connaît, et plus on le connaît. plus on l'aime. Pourquoi donc notre pauvre cœur ne ressent-il pas la même joie ? Pourquoi le jour de la première communion est-il le plus beau jour de la vie, au lieu de n'être que le premier degré d'un bonheur sans cesse grandissant avec le nombre de nos communions ?.. Ah ! c'est que s'il en était ainsi nous goûterions en cette vie le bonheur du ciel, car le ciel est une première communion qui dure toujours ; c'est ainsi que Rose après sa première communion est allée faire au ciel son action de grâce qui dure encore et durera toujours. Voilà pourquoi aussi Marguerite comptant ses plus beaux jours, plaçait à côté de celui de sa première communion celui de son viatique qui allait lui ouvrir le ciel. Aimer Dieu de toutes nos forces c'est notre devoir, sentir que nous l'aimons c'est notre récompense; voudrions-nous déjà la récompense alors que nous luttons encore pour la mériter ? D'ailleurs ne nous suffit-il pas de pouvoir dire à Notre-Seigneur présent en nous : Je sais que vous êtes le même Dieu qui inondâtes mon âme de consolations le jour où pour la première fois vous vîntes me visiter. Ce que vous fîtes alors, vous pouvez le faire encore en ce moment ; mais, Seigneur, vous savez ce qui m'est le plus avantageux ; faites que je vous aime de tout mon cœur en paroles et en actions ; quant aux consolations que donne le sentiment de ce pur amour, je ne suis pas digne de le ressentir ; donnez-moi les forces nécessaires pour travailler à m'en rendre un peu moins indigne et pour supporter cette privation si pénible à mon cœur. »

Charles passa neuf ans au collège, années qui ne furent pas sans tristesse, car sa famille, jusqu'alors si heureuse, fit des pertes bien sensibles. Le frère aîné de Charles, jeune homme plein d'avenir, et deux de ses sœurs furent enlevés rapidement par la fièvre typhoïde ; l'affliction du collégien fut très vive ; néanmoins au milieu de sa douleur on put déjà admirer en lui la résignation du chrétien.

A Saint-Joseph, Charles s'était fait remarquer par son application à l'étude, sa fidélité au règlement, sa douceur, sa piété, sa modestie dans le succès ; mais surtout par sa candeur d'âme. Dès son arrivée au collège il s'était mis sous la protection de saint Louis-de-Gonzague et de toutes ses forces il tâcha d'imiter ce jeune saint. Il aima ses professeurs jusqu'à la vénération, cependant jamais il ne chercha à obtenir de leur part la moindre préférence ; quoique doué d'un cœur très sensible, Charles ne donnait pas beaucoup de témoignages extérieurs de son affection ; aussi contrairement aux natures méridionales la sienne se laissait deviner difficilement ; pourtant sa droiture était extrême et dans l'expression profonde de son regard se lisait toute la franchise de son âme.

Ayant échoué aux examens du baccalauréat, Charles fit sa philosophie à la maison sous la direction d'un professeur aussi savant que chrétien qu'il pria de vouloir bien lui laisser suivre les plans et la méthode de ses anciens maîtres :

« Votre fils est Jésuite de cœur, disait ce professeur à sa mère. »

III

Le Volontariat

Ses études terminées, Charles avant d'entreprendre aucune carrière, s'engagea pour faire le volontariat d'un an. Il le fit à Nice dans le 111e de ligne ; mais à peine entré au régiment les dangers de cette vie nouvelle l'effrayèrent et voici la seconde lettre qu'il adressa à ses parents :

« Au moment où je vous écris, je me trouve à deux ou trois kilomètres de Nice, seul, assis sur un récif que viennent assaillir de toutes parts les vagues tumultueuses. Tantôt elles caressent mollement sa base, en faisant entendre un murmure enchanteur ; tantôt au contraire, après s'être retirées en arrière, elles s'élancent avec violence vers son sommet ; puis il se fait un silence solennel pendant lequel les flots semblent se recueillir et méditer sur ce qu'ils ont à faire ; mais bientôt l'assaut recommence avec une nouvelle fureur ! Vains efforts ! Le roc demeure inébranlable. Ce spectacle m'émeut, mille pensées s'agitent en moi ; mais une surtout, une me domine, c'est l'analogie frappante qui existe entre la situation de mon récif et ma propre situation. Comme lui je me trouve perdu au milieu de la vaste mer de ce monde ; comme lui je suis assailli par sa vague enchanteresse.

« Dieu fasse que comme lui, je sache aussi demeurer inébranlable et résister aussi bien aux promesses trompeuses du monde qu'à ses impuissantes menaces. Mais ici une pensée terrible traverse mon cœur et le remplit de tristesse. Je viens de jeter les yeux sur mon récif, hélas ! je le vois rongé de toutes parts par la lame infatigable, aussi mon rocher qui paraît toujours victorieux est en réalité vaincu en détail, à chaque assaut il subit une défaite partielle, encore quelques années il aura disparu, et la mer roulera paisiblement ses flots superbes sur son ennemi terrassé.

« Malheureux ! devrai-je subir le même sort ?... Faudra-t-il que je cède toujours une partie de terrain aux mille et mille vagues qui s'élèveront contre moi pendant cette année ? Oh ! non, chers Parents ! priez, oui priez pour qu'il n'en soit pas ainsi. Soyez certains que vos prières ne sont point inutiles, car le combat sera long et périlleux. Ecrivez-moi souvent, vos conseils me feront toujours un bien immense ; entretenez-moi aussi de tout ce qui peut m'intéresser, il est inutile de dire que vos santés passent dans ce chapitre au premier rang. La mienne est parfaite, je suis presque habitué à ma couche et je mange sans trop de répugnance l'ordinaire de la cantine. Je vois bien que dans cette année j'aurai plus à souffrir au moral qu'au physique. »

Cette lettre écrite au crayon est datée du 14 novembre 1877.

Préservé sans doute par la vivacité de sa foi et sa fidélité à ses devoirs religieux, Charles traversa cette année, qu'il appelait *terrible*, sans avoir perdu la pureté de son âme ; et, si au régiment il fut un modèle de vie régulière et d'aménité, chez lui, on pouvait se demander à son retour :

« Est-ce bien un soldat qui revient ? » Tant il avait soigneusement évité de prendre le langage et les habitudes de la caserne. Seulement profitant des soirées de permission il était allé quelquefois au spectacle, chose qu'il considéra plus tard comme une faute et qu'il regretta amèrement ; car, disait-il, ce n'est pas pour le mal que j'ai pu faire en y allant ; mais mon exemple a pu autoriser d'autres jeunes gens pour lesquels le théâtre a eu peut-être de vrais dangers.

Charles venait à peine de terminer son volontariat, quand il éprouva la douleur immense de perdre le meilleur et le plus aimé des pères ; ce malheur en brisant son âme changea aussi ses projets d'avenir, il dut alors renoncer au commerce et faire ses études de droit. Pour cela il se rendit à Aix où un de ses oncles le reçut chez lui.

IV

Essai de Noviciat

Au mois de juin 1880, après une fièvre typhoïde très sérieuse, Charles sollicita et obtint de sa mère la permission d'aller faire une retraite chez les Révérends Pères Jésuites de Lyon. Les quinze jours qu'il passa dans ce pieux asile furent pour lui pleins de consolations et il n'aurait jamais voulu les voir finir ; mais on était au 28 juin, c'est-à-dire à la veille même de l'expulsion des Pères, Charles dut donc se résigner à partir.

Après être allé à Paray-le-Monial, il retourna dans sa famille, passa à la campagne le temps des vacances, et peu après la mort de sa plus jeune sœur, arrivée vers la même époque, Charles annonça à sa mère la résolution où il était d'entrer au noviciat des Pères de la Compagnie de Jésus récemment transporté à Sidmouth (Angleterre). En femme forte Mme Ranque n'apporta aucun obstacle au pieux désir de son fils et l'accompagna elle-même jusqu'au wagon qui devait l'emporter si loin. C'était le 10 décembre 1880. Huit jours plus tard cette généreuse chrétienne conduisait une de ses filles au second monastère de la Visitation de Marseille.

« Je suis fermement résolu de suivre la volonté de Dieu partout où elle me conduira, aussi fortement décidé à être religieux, si elle continue à me porter de ce côté-là, qu'à vivre dans le monde si elle me reporte vers le monde. Quant aux opinions des hommes elles m'ont peu inquiété pour le départ, bien moins m'inquiéteraient-elles pour le retour, s'il le fallait. En fait de jugement je ne crains que ceux de Dieu, car Lui seul me jugera. »

C'était ce que Charles écrivait de Lyon le lendemain de son départ.

Après quelques mois passés dans cette pieuse retraite de Peach-House qui lui était si chère, il adressa à sa mère les lignes suivantes :

« Dieu a parlé par les ordres du Révérend Père Provincial, notre bonne volonté lui a suffi. Il n'a pas voulu que le sacrifice fût consommé jusqu'au bout ! Avec bonheur je m'offrais pour Le servir dans l'état le plus parfait ; telle n'a pas été sa volonté, serviteur je n'ai qu'à me conformer aux ordres de mon Divin Maître ; que dis-je, Dieu est aussi mon père et ce qu'Il me commande ne peut être que pour mon plus grand bien. Je quitte donc cette maison où j'étais si heureux et si peu digne de me trouver et j'arriverai, je pense, samedi. »

Charles revint donc dans sa famille, un peu triste de renoncer à cette vocation pour laquelle le Révérend Père Maître des novices avait reconnu que son caractère et son tempérament moral n'étaient point faits, mais tranquilisé par la pensée d'accomplir dans ce sacrifice même la volonté de Dieu. Il reprit ses études de droit qu'il poursuivit de la manière la plus brillante, à la Faculté Libre de Marseille d'abord, puis, après sa licence, à celle de Grenoble où il prépara son doctorat.

V

Etudes de Droit à Marseille. Mort de sa mère

De son retour d'Angleterre date pour Charles une vie nouvelle ; lui déjà si doux, si pieux et si bon se perfectionna encore; aussi peut-on dire, selon l'expression de Lacordaire : que s'il est mort prématurément c'est qu'il n'y avait plus que cette mort qui pût ajouter à sa couronne. Il faisait bien toutes choses et se faisait tout à tous ; il était le plus respectueux et le plus tendre des fils, le plus aimable des frères, l'ami des pauvres, l'ouvrier dévoué de toutes les nobles causes ; mais il était surtout un véritable enfant de Marie et l'adorateur fervent et fidèle de Notre-Seigneur. Ses heures préférées étaient celles qu'il passait au pied du Saint-Tabernacle ; assistant à la messe tous les jours, il avait presque tous les jours aussi le bonheur de recevoir son Divin Maître. Dépeindre son attitude à l'église est impossible : « Ce maintien si digne si recueilli est un modèle pour nous » disait un pieux ecclésiastique en parlant de Charles.

Au mois d'octobre 1881, il sollicita l'honneur de faire partie des Conférences de Saint-Vincent de Paul ; le docteur Fabre, de si douce mémoire, lui servit de parrain et Charles, qui appréciait hautement les vertus de ce grand chrétien, tâcha d'imiter sa charité dans tout ce qu'elle avait de plus simple et de plus délicat. D'ailleurs, chez Charles comme chez M. Fabre, on trouvait une nature franche et droite, exempte autant de respect humain que d'ostentation ; tous les deux ne cherchaient qu'une chose : le regard de Dieu.

Le sacrifice de sa vocation religieuse ne fut pas le seul que le bon Maître lui demanda ; Charles n'eut pas la consolation de jouir longtemps de son excellente mère qu'il aimait avec la tendresse, le respect et l'admiration que les vertus de cette grande chrétienne inspiraient à tous ; sa délicatesse d'âme lui découvrait tous les mérites qu'avait acquis celle dont la vie, depuis la mort de tant d'êtres chers, n'était plus qu'un long martyre généreusement accepté. Rien n'égalait la reconnaissance de Charles envers Dieu qui lui avait donné une si bonne mère, et envers sa mère qui lui avait appris à connaître Dieu et à l'aimer par-dessus tout.

L'affection rhumatismale à laquelle Mme Ranque succomba dura plusieurs mois. Le Seigneur envoya, sans doute, cette longue maladie pour éprouver encore la patience admirable de sa servante, mais surtout, peut-être, afin de préparer à une séparation bien cruelle ceux qui allaient rester complètement orphelins. Charles voulut partager avec ses sœurs le pieux devoir de soigner sa mère. C'était un spectacle touchant que celui de ce jeune homme plein de force et de douceur, veillant au chevet de la chère malade et lui prodiguant, avec une tendresse presqu'aussi maternelle que filiale, les soins et les caresses qui étaient pour Mme Ranque le meilleur soulagement.

A l'heure de l'agonie, ce fut Charles qui encouragea sa mère, ce fut lui qui lui ferma les yeux et qui l'ensevelit. Pendant deux nuits, il veilla et pria près de la chère dépouille, et, quand arriva le moment de la séparation dernière, imposant à sa nature un suprême effort, il voulu déposer lui-même sa mère bien-aimée dans le cercueil ; mais alors, ses forces parurent défaillir et deux larmes, les seules qu'il versa, glissèrent lentement sur ses joues et vinrent mouiller ce front chéri que personne ne devait plus baiser ; puis, comme ses deux frères, Charles accompagna jusqu'au tombeau de famille les restes vénérés de la plus aimable et de la plus affectionnée des mères. Avec un religieux respect il garda intacts dans son cœur ces déchirants souvenirs et plus tard, les rappelant dans une lettre, il disait : « Si les larmes ont le privilège d'effacer la douleur, je suis heureux de n'avoir pu alors en répandre. »

Pour se conformer au désir qu'avait manifesté sa mère, Charles se prépara à des examens militaires et obtint le grade de sous-lieutenant auquel, du reste, il n'attachait aucun prix : « *Sic transit gloria mundi,* » disait-il en considérant ses galons qui s'étaient ternis, ce qu'il y aurait d'étonnant, ce serait de voir un cœur s'attacher à de telles fanfreluches. »

VI

Première année de préparation au Doctorat en Droit à Grenoble

Poussé par le goût de l'étude et peu pressé d'ailleurs, de se créer de suite une position, Charles, après avoir brillamment passé sa licence, se décida à préparer son doctorat en droit et pour cela, comme nous l'avons dit, il se rendit à Grenoble où il passa deux ans qui furent pour lui pleins de profits intellectuels et de consolantes occupations ; il connut dans cette ville hospitalière les douceurs qu'offrent de saintes amitiés et le charme des relations aimables qu'on rencontre dans un milieu studieux et chrétien.

Si son séjour à Grenoble priva sa famille du plaisir de sa présence, il lui procura la consolation de posséder une correspondance bien précieuse, dans laquelle se sont révélés tous les trésors d'affection, de piété, de sagesse que renfermait ce cœur si tendre, si droit et si pur, trésors qui seraient restés cachés, car, par une sorte de retenue étrange, Charles était beaucoup plus expansif dans ses lettres que dans ses paroles, et, éloigné de sa famille, il permettait à sa plume un langage que ses lèvres ne connurent jamais. Il entretenait ses parents de son travail, de ses loisirs, les initiait à son règlement de vie, leur parlait de ses pauvres et, le 11 novembre 1883, c'est à dire au début de son séjour à Grenoble, il écrivait à sa sœur, religieuse de la Visitation :

« Jeudi, après la Conférence, je suis allé dans une autre réunion pieuse ; cette nuit-là, j'étais de garde. Comment, vas-tu t'écrier, tu ne fais plus ton volontariat pour être de garde ! Pardon, je fais encore un volontariat bien plus digne de ce nom que le précédent, appelé à juste titre volontariat forcé ; mon nouveau corps, c'est la garde d'honneur. De qui ? De Notre-Seigneur Jésus-Christ. Le livre d'heures, le rosaire, la méditation, voilà mes armes ; mes compagnons d'armes sont des hommes qui, une ou deux fois par mois, viennent passer une nuit auprès de Notre-Seigneur, qui pour eux veut bien rester exposé dans la chapelle des Pères Missionnaires de la Salette. Le service dure de 10 heures du soir à 5 heures du matin, mais on se relève alternativement, de manière à prendre un peu de repos sur des fauteuils ou même sur des matelas disposés à cet effet dans des salles spéciales. A dire vrai, le corps ne passe pas une trop bonne nuit ; il réchigne bien un peu, mais on le laisse grogner tout seul et l'on considère seulement les avantages que l'âme doit retirer de ces saintes veillées.

« Je recommande cette belle œuvre de l'Adoration Nocturne aux prières de la communauté, et je te prie de demander à Notre-Seigneur que je ne me lasse pas d'y contribuer dans la mesure de mes moyens.

« Adieu chère Sœur, nos cœurs, j'en ai la ferme espérance, demeureront toujours unis, attachés qu'ils sont à un même centre, Notre-Seigneur Jésus-Christ, à qui soit toujours honneur et gloire. »

CHARLES.

Voici la lettre qu'il adressait à ses parents la semaine suivante :

« Quinze jours se sont déjà écoulés depuis le moment où il a fallu vous quitter ; jours bien longs si je les avais passés à considérer combien il est pénible d'être séparé de ceux que l'on aime ; mais jours rapidement traversés grâce au travail, rame puissante ! Oui je rame, je rame et le temps passe ; il ne me traîne pas au gré de son courant, c'est moi qui le pousse et le dépasse en vitesse ; et pour cela je n'ai pas seulement une rame, j'ai une hélice qui fonctionne toujours d'elle-même et me porte sans cesse en avant, en sorte que lors même que fatigué de ramer, je prends un moment de repos, j'avance encore rapidement et comme sans m'en douter ; cette hélice c'est mon règlement ; grâce à lui tout arrive à point nommé, pas d'incertitude sur l'emploi de tel ou tel instant et par suite point de place à l'ennui ; enfin je tâche de tenir ma volonté comme une voile prête à se gonfler au souffle salutaire des bonnes inspirations et de la volonté de Dieu qui peut se servir de tels ou tels évènements pour modifier mon règlement ; et me voilà armé en course. Vienne la tempête, qu'ai-je à craindre ?... Tant que Dieu sera à la barre du gouvernail je surnagerai et je voguerai.

« Le temps passe donc vite, très vite, je dirais trop vite si en passant il ne nous rapprochait de la bienheureuse éternité ; mais encore comment se passe-t-il ?... C'est ce que tu veux savoir, chère Marie. Après avoir entendu la sainte Messe à 6 heures, je vais déjeuner au café au lait vers 6 h. 3|4 ; après quoi une bonne heure d'étude ; puis départ pour le cours qui a lieu à 8 h. 1|2 ; vers 10 heures je suis de retour dans ma chambre pour revoir les notes prises au cours. A 11 h. 1[4, je me mets à table. A midi, récréation, promenade suivie de l'escrime. Entre 2 heures et 2 h. 1[2 je me rends à la bibliothèque où je travaille jusqu'à 5 heures ; alors je retourne tranquillement chez moi et je travaille encore un peu jusqu'à 6 h. 1[2 qui est l'heure de mon souper. Ensuite promenade jusqu'à 8 heures, où je vais à la bibliothèque, elle se ferme à 9 h. 1[2 ; il ne me reste plus alors qu'à regagner ma chambre, à faire ma prière et à prendre le repos nécessaire pour recommencer le lendemain encore frais et dispos, plein de bonnes résolutions que je me hâte d'aller offrir à Notre-Seigneur durant le saint Sacrifice, le priant de les bénir et de me donner sa grâce pour les accomplir.

« Comme tu le vois tout en travaillant sérieusement, je prends cependant le repos nécessaire et je ménage à ma pauvre guenille le temps suffisant tant pour l'exercice que pour le repos. »

Ce que la modestie de Charles l'empêchait de dire, c'est qu'une grande partie de ses récréations se passait au pied du Tabernacle.

« Il avait choisi, écrivait après sa mort un Père missionnaire qui l'avait bien connu, il avait choisi un logegement tout près de la chapelle de Notre-Dame de la Salette afin de faciliter sa piété. Assidu à l'église le matin pour la Messe, après midi pour la visite au Très Saint-Sacrement, le soir pour le chapelet et le salut, il suffisait de le voir prier pour être profondément édifié de sa piété angélique. On croyait vraiment revoir en lui une copie vivante de saint Louis-de-Gonzague.

« Aussi sa douce mémoire est-elle restée en grande vénération parmi tous ceux qui ont eu le bonheur de le connaître ; avec délices on aime à se rappeler cette existence tout embaumée des vertus eucharistiques. D'une fidélité exemplaire, jamais il n'eût manqué à son heure d'adoration de nuit, et malgré les labeurs de ses études son plus grand plaisir était de venir deux fois par mois prolonger les saintes veilles devant le trône de Notre-Seigneur.

« Et, détail touchant qui prouve combien il pensait à toute chose :

« N'oubliez pas de m'envoyer exactement ma carte de « convocation, disait-il un jour à M. le Président de l'Œu-« vre, parce qu'habitant un garni il faut que la femme de « chambre qui vient faire mon lit, sache, en voyant ma « carte sur la table, où j'ai dû passer la nuit. »

« N'était-ce point là une marque de haute sagesse et de l'édification qu'il donnait au prochain ?

« C'est ainsi que pendant ces veillées qu'un trop grand nombre d'étudiants passent dans des plaisirs souvent coupables, Charles agenouillé de longues heures sur son prie-dieu d'adorateur, ne cessait de prier et de réparer, multipliant les amendes honorables envers le doux Jésus outragé. Nous pouvons donc le proclamer sans crainte, il a été une des gloires de notre œuvre de l'Adoration Nocturne ; admis maintenant dans les Tabernacles éternels, Charles y continue à jamais les adorations dont il avait si bien fait l'apprentissage devant nos Tabernacles eucharistiques.

« Qu'il veuille bien bénir de plus en plus cette chère œuvre pour qu'elle devienne de plus en plus nombreuse et prospère. »

Cette lettre adressée à la famille Ranque est signée par le Révérend Père Thomas, directeur de l'Adoration Nocturne de Grenoble.

Nous ne pouvons résister au désir de citer ici quelques fragments de la correspondance de Charles, car puisque le style c'est l'homme, ces extraits serviront à faire mieux connaître la beauté de son âme, la droiture de son jugement et la délicatesse de son cœur.

Son langage devenait brûlant quand il parlait de Notre-Seigneur et de sa sainte Mère ; on a lu, à la page où est racontée la première communion, sa lettre du 1er juin 1884 ; voici ce qu'il écrivit dès son arrivée à Grenoble :

« Jamais je ne saurais assez te remercier, chère Marie, du pieux pèlerinage que tu as accompli à mon intention. Et maintenant que tu m'as recommandé à la bonne Mère reste sans inquiétude ; serais-tu en peine de moi si j'étais ici avec maman ; non, certainement, maman est si bonne, dirais-tu, que mieux que moi elle saura le protéger et veiller sur lui. Eh bien ! c'est la bonne Mère qui me garde. Elle connaît tous mes besoins, tous mes désirs. Elle veut mon plus grand bien et tu ne peux douter de sa sagesse, de sa bonté et de sa puissance ; encore une fois reste sans inquiétude tant que tu continueras à me confier à elle. »

Une lettre du 5 mai 1885 renfermait ce passage :

« Comment pourrions-nous ne pas aimer la bonne Mère, nous qui avons grandi sous ses regards ? En effet, quel est le jour de notre enfance où nos yeux ne se soient élevés jusqu'à la sainte colline sur laquelle nos pères la placèrent pour veiller sur nous ? »

Et quelques jours après avec ce ton de doux reproche il s'adressait ainsi à sa sœur aînée :

« En bons enfants de Marie nous ne devons négliger aucune occasion de rendre honneur à notre bonne Mère ; à ce sujet dois-je te gronder un peu de vos petites inexactitudes ?.... Pourquoi ne pas faire tous les soirs votre petit Mois de Marie ?... Cela est si court que ce n'est pas évidemment le temps qui vous a manqué ; je suppose qu'aucun soir vous ne manquez de temps pour souper. S'il en est ainsi faites du Mois de Marie votre premier plat, inscrivez-le d'office à la tête de votre menu et de la sorte toute inexactitude sera évitée. Mais, diras-tu peut-être, comment faire quand nous avons du monde ?... Eh bien ! quand on a du monde tant mieux ; on se trouve un peu plus nombreux pour prier ensemble la très sainte Vierge. Mais si on ne pense pas comme nous ?... Alors on pense moins bien que vous, et en vous voyant faire on apprendra à penser mieux. Posons-nous franchement en famille chrétienne, on sera bien forcé de nous prendre tels quels. Sans doute pas d'imprudence, mais est-ce une imprudence d'aimer sa Mère et de le lui témoigner hautement ? »

« Prions bien saint Joseph, lisons-nous dans la lettre du 2 mars 1884, prions bien saint Joseph et il voudra, je l'espère, donner à l'air des Alpes l'efficacité suffisante pour rendre à notre cher frère une santé si précieuse à un chef de famille. Quand tu écriras à Joseph exprime-lui tous les sentiments affectueux dont mon cœur est rempli à son égard, et dis-lui que si aucun griffonnage confié par moi à la poste ne va lui apporter l'expression de ces sentiments, c'est que pour écrire et même pour griffonner il faut avoir du temps. Heureusement le cœur est plus rapide que la plume, et la pensée plus rapide que la poste ou le télégraphe, aussi le mien se permet-il quelques petits voyages derrière ces hautes montagnes qui nous entourent. Au reste le meilleur moyen pour ne pas manquer son but dans ces courses à vol d'oiseau, c'est de passer toujours par le saint Tabernacle, car le Dieu qui nous écoute à Marseille et à Grenoble est le même qui voit notre chère famille s'agenouiller devant Lui dans l'église de Rustrel. »

En retournant à Grenoble après les vacances de la Noël, Charles adressa à sa sœur les lignes suivantes :

« Tu as, je pense, reçu l'affreux barbouillage que je n'ose pas décorer du nom de lettre et que je t'écrivis en arrivant à Grenoble pour t'annoncer l'heureuse issue de mon voyage. Triste voyage à vrai dire ! Et comment en aurait-il été autrement ! Chaque tour de roue, Dieu sait ce qu'elles en ont fait, jetait une nouvelle distance entre vous tous qui m'aimez et moi qui vous aime tous. Et cette route si fraîche, si riante en été, ces plaines si vertes qu'elle domine et vers lesquelles elle s'incline en serpentant comme attirée et fascinée par tant de charmes ; ces monts si pittoresques que le voyageur arrivé à cet endroit de la route semble quitter à regret ; toutes ces beautés étaient si froides ; elles paraissaient mortes sous leur blanc linceul de neige. Ce froid vous allait au cœur, mais pourquoi le cœur se laisserait-il engourdir ?... Courage ! pour clore cette seconde étape, quelques jours encore de travail, et alors la nature ressuscitant pour ainsi dire, dans un nouveau printemps, viendra nous aider à fêter avec notre mère l'Eglise, la résurrection du Sauveur.

« Une nouvelle année s'est levée, que nous en réserve-t-elle ?.... Rien de malheureux si nous le voulons réellement, car le mal, le vrai mal, le seul mal ne peut venir que de nous, et il ne tient qu'à nous de nous préserver toujours, puisqu'il nous suffit pour cela de la grâce de Dieu et que nous sommes certains qu'Il ne la refusera jamais à nos humbles prières. Oh ! que nous demeurerions tranquilles si nous savions bien nous pénétrer de cette vérité ; le vrai moyen d'être heureux c'est de pouvoir dire avec l'apôtre :

« Qui me séparera de l'amour du Christ ? La tribula-
« tion ? L'angoisse ? La faim ? La nudité ? Le péril ? La
« persécution ? Le glaive ? Mais nous triompherons de
« toutes ces choses à cause de celui qui nous a aimés.
« Car je suis certain que ni la mort, ni la vie, ni les an-
« ges, ni les principautés, ni les vertus, ni le présent, ni
« l'avenir, ni la force, ni la hauteur, ni la profondeur, ni
« aucune créature ne pourra me séparer de la charité de
« Dieu,laquelle est dans le Christ-Jésus Notre-Seigneur.»

« Voici 1884 qui s'est ouvert devant nous, vaste champ aux épis d'or ; amassons tandis qu'il en est temps, faisons-nous un trésor pour la vie éternelle ; chaque heure, chaque minute a son prix, c'est folie de les perdre, et c'est les perdre de ne pas les employer à sa satisfaction. Pour cela le Père Supérieur des Missionnaires de la Salette nous indiquait un excellent moyen : Faire chacune de nos actions comme si elle devait être la dernière. Que de fautes seraient ainsi évitées ! Ce conseil m'a rappelé la réponse de saint Louis-de-Gonzague à celui qui lui demandait ce qu'il ferait si on venait lui annoncer qu'il allait mourir dans quelques instants : Je continuerais à faire ce que je faisais, répondit-il tout simplement. Il avait compris, ce grand saint,que ce qu'on voudrait avoir fait au moment de la mort, c'est cela même que l'on doit faire ; il avait compris que c'est folie de faire ce qu'il faudra un jour regretter d'avoir fait, et que c'est plus fou encore de compter pour ces regrets sur un temps qui peut-être ne nous sera jamais donné. Profitons donc du temps que le bon Dieu nous donne, et ne comptons sur l'avenir ni pour nous rassurer, ni pour le craindre. A chaque jour suffit sa peine et chaque peine supportée avec résignation aura sa récompense. Courage donc, acceptons avec joie la séparation qui nous est demandée maintenant, car plus cette séparation nous est pénible, plus grande en sera la récompense ; or, la récompense c'est l'union à jamais, l'union dans la louange de Dieu, union que nous pouvons commencer ici-bas par la prière. Nos corps sont séparés par de grandes distances, mais *sursum corda* ! Élevons nos cœurs ! Remplissons-les de l'amour de Dieu et unis dans ce même amour ils ne seront jamais séparés. »

Quelques jours plus tard la mort du docteur Fabre lui suggérait les réflexions suivantes :

« Pour notre ville quelle perte que celle de l'excellent Monsieur Fabre ! Ce grand chrétien, dont la vie a été une prédication par les beaux exemples d'humilité, de charité, de piété qu'il nous offrait, nous donne encore par sa mort une bien grande leçon. La mort a bien pu le frapper subitement, mais elle ne l'a point surpris ; il ne vivait en effet que pour bien mourir.

« Souvent nous le voyions s'approcher de la Sainte-Table ; or, pour le chrétien, communier c'est être prêt à mourir, et maintenant qu'il a déjà reçu sa récompense qui oserait le blâmer d'avoir vécu comme il l'a fait ? S'il avait mené une vie oisive à laquelle aurait pu l'inviter sa grande fortune, que lui resterait-il aujourd'hui ?... La mort vient de le dépouiller de tous ces biens périssables ; mais il a emporté avec lui un immense trésor de bonnes œuvres. Aujourd'hui un seul de ses nombreux pèlerinages à la Bonne Mère a mille fois plus de prix que toutes ses richesses et que toute sa science. Que lui resterait-il de cette science s'il ne s'en était pas servi uniquement pour procurer la gloire de Dieu ! Oh ! qu'il est heureux de ne s'être servi de sa fortune et de sa science que pour ouvrir les cœurs à Jésus-Christ. Aussi je me l'imagine entrant dans le Paradis et souriant à ses anciens malades. Sans doute il faut être si pur pour entrer au Ciel que je me fais un devoir de prier pour M. Fabre qui a été si bon pour nous, et qui avait bien voulu être mon parrain dans la société de Saint-Vincent de Paul. Au reste les prières qui vont s'élever pour lui si nombreuses abrègeront le temps de l'expiation, et notre ville aura alors au Ciel un protecteur de plus si elle ne l'a déjà. »

« Depuis lundi, écrivait-il à sa sœur, j'ai reçu des lettres de trois mains différentes ; à ne considérer que l'affection qu'elles me témoignent on les dirait vraiment dictées par le même cœur. Commençons par celle du petit Charles, bien courte, bien bonne ; bonne comme orthographe, bonne comme calligraphie, bonne surtout, trop bonne, comme sentiment. Aussi en suis-je encore à me demander si toutes ces bontés n'auraient pas même un auteur et si la main du dirigé n'a pas simplement servi d'interprète au cœur de la directrice. Ceci au reste est dit sans reproche, car si quelque chose en nous a besoin d'être dirigé, c'est bien le cœur, surtout dans le jeune âge, où se forment les habitudes qui auront une si grande influence sur toute la vie. Il importe donc de diriger ce petit cœur et de le bien diriger en lui apprenant à aimer beaucoup, beaucoup, ses parents et avant tous et avant tout le bon Dieu.

« Ce que tu me dis de Charlot dans ta lettre, et ce que je lisais ce matin dans celle de Thérèse me prouve le soin que l'on apporte à cette première éducation. Voici à ce propos quelques lignes copiées dans un excellent ouvrage du Père Grou, je les cite avec un plaisir d'autant plus grand que ce sont exactement les mêmes conseils qu'a si bien observés à notre égard notre sainte mère :

« Les premières impressions, soit bonnes, soit mau-
« vaises, ne s'effacent jamais. Les habitudes contractées
« dans le premier âge passent en nature et il est très dif-
« ficile de les changer.

« Rompez l'humeur de vos enfants tout doucement dès
« le bas âge, qu'ils n'aient point de propre volonté. N'ac-
« cordez rien à leurs pleurs et à leurs cris.

« Il faut de la philosophie et des principes pour élever
« les plus petits enfants. Leur donner ou leur refuser à
« propos ce qu'ils désirent ; avoir égard à leurs be-

« soins et jamais à leurs fantaisies. Leur faire sentir leur « dépendance ; avoir un plan de conduite soutenu et les « y assujettir sans dureté, mais aussi avec fermeté. Le « meilleur moyen de former leur caractère est de les ren- « dre obéissants ; par là on leur épargne bien des puni- « tions et l'on épargne à soi-même bien des peines pour « la suite.

« Que vos enfants n'aient point de commerce familier « avec les domestiques autres que ceux qui sont immé- « diatement chargés d'eux, et choisissez ceux-là avec le « plus grand soin.

« Apprenez le plus tôt possible aux enfants à faire le « signe de la croix, à prononcer les noms de Jésus et de « Marie. Montrez-leur des images, baisez-les devant eux « avec respect. Menez-les à l'église ; que leurs oreilles « soient frappées du chant, et leurs yeux de la parure de « l'autel et de la majesté des cérémonies.

« Avant qu'ils sachent ce que c'est que prier, priez de- « vant eux. Les enfants paraissent ne faire attention à rien ; « mais les images de ce qu'ils voient se gravent dans leurs « cerveaux et il est juste que ce qui concerne la piété y « tienne la première place. Parlez d'abord aux sens et à « l'imagination ; l'esprit et le cœur auront ensuite leur « tour. D'ailleurs le Saint-Esprit qui habite dans ces âmes « innocentes agit beaucoup plus qu'on ne pense lors- « qu'Il est secondé par des parents vertueux.

« Racontez-leur les histoires de l'Ecriture-Sainte et la « vie des saints, expliquez-leur les principales fêtes de « l'année. Quand la raison commence à se produire cul- « tivez-la par des leçons et des devoirs proportionnés à « leur âge ; qu'elles soient simples, courtes et éclairées.—

« Apprenez-leur à aimer Dieu, à craindre de l'offenser, à « ne point mentir, à obéir. Corrigez-les doucement mais « efficacement de leurs défauts. Faites en sorte qu'ils « vous respectent et qu'ils vous aiment tellement que « leur plus grand désir soit de vous contenter et leur plus « grande appréhension de vous déplaire. Soyez fermes, « mais aussi sachez louer, récompenser, encourager. Nous « avons tous besoin qu'on nous prenne par notre amour « propre pour nous conduire au bien ; à plus forte rai- « son les enfants qui ne sont pas capables de motifs plus « relevés.

« Il est difficile en matière d'éducation de saisir le juste « milieu entre la sévérité et la douceur ; ici il est utile « de connaître votre propre caractère et d'étudier celui « de chacun de vos enfants. »

« Je me suis laissé aller au plaisir de citer et je m'aperçois qu'il ne reste que peu de temps à ma correspondance, mais tu n'as rien perdu, chère Marie, car pour toi il est préférable de savoir ce que je viens de copier que d'être informée de ce qui se passe ici ; quant à ce que je fais moi-même, tu n'as qu'à te reporter à ma lettre du 18 novembre.

« Présente à qui de droit mes respects, mes remercîments et mes amitiés. En terminant, toujours mon invariable commission ; tu sais laquelle. Adieu.

« Charles. »

Ces conseils du Père Grou, Charles les mettait en pratique lorsque le temps des vacances lui permettait de jouir de la famille de son frère. Il attirait les enfants dans sa chambre, apprenait au plus jeune à balbutier le nom de Jésus, à baiser la croix et à saluer l'image de Notre-Seigneur et de la sainte Vierge ; au plus grand il faisait réciter la prière, lui montrait de belles gravures dont il lui expliquait la signification, lui parlait de ses parents du ciel et lui racontait des petites histoires par lesquelles il tâchait de lui inspirer cette invincible horreur que dès son bas âge il avait manifestée pour le mensonge. Il ne pouvait non plus souffrir qu'on se servît du moindre artifice pour tromper l'ingénuité des enfants et qu'on faussât leur petit jugement par les opinions trop sévères.

Lorsque l'aîné de ses neveux dut apprendre à lire il lui fit présent d'un bel alphabet à la première page duquel il traça une grande croix et l'invocation suivante :

« O bon Jésus qui êtes la véritable source des sciences, vous qui savez mettre dans le langage des enfants un charme qui nous touche, répandez abondamment sur la langue et sur les lèvres de notre petit Charles ce charme et ces grâces que donne votre bénédiction. Pour votre plus grand service donnez-lui une intelligence prompte à comprendre et assez subtile pour démêler toujours la vérité de l'erreur, une mémoire capable de beaucoup retenir, une langue pleine d'éloquence pour la vérité et toujours muette pour le mensonge. Son instruction que nous mettons sous votre protection et qui commence dans ce livre, dirigez-la sans cesse durant sa vie jusqu'à ce ce que vous la complétiez enfin par les célestes clartés qui illuminent les bienheureux admis à vous contempler sans fin, Vous, mon Dieu, qui êtes la vérité éternelle ! »

L'enfant conserve avec vénération son premier livre et dans son petit cœur reste gravé en traits ineffaçables le souvenir de celui qu'il appelle maintenant *l'oncle Charles du ciel*.

Dans la correspondance de Charles, un très grand nombre de lettres ont un degré d'intimité qui nous empêche de les transcrire ici, cependant afin de dévoiler son affectueuse sollicitude pour les siens nous mentionnons les suivantes :

« Chère Marie, de lettre écrite à 11 heures du soir je n'en veux plus, 11 heures c'est l'heure de dormir, quand on le peut, et non pas d'écrire, et si, du lever au coucher du soleil, entre Thérèse et toi vous ne parvenez pas à trouver dix minutes pour me donner de vos nouvelles, eh bien ! tant pis pour moi, ne m'en donnez point. Je préfère souffrir et souffrir beaucoup d'un manque de nouvelles plutôt que de vous priver d'une seule minute d'un sommeil qui vous est indispensable pour réparer vos forces que chaque jour votre charité et votre piété filiale savent dépenser avec tant de prodigalité, et aussi, afin d'en acquérir de nouvelles qui vous permettent de faire face aux épreuves du lendemain. Pauvres sœurs ! vous voilà de nouveau dans l'épreuve ; mais courage ! Dieu qui permet qu'elle arrive donne toujours les forces suffisantes pour la supporter. Ah ! si nous étions profondément chrétiens, comme nous nous affligerions moins de la souffrance et comme nous comprendrions le bon docteur Fabre écrivant dans son règlement de vie :

« Souffrir avec joie parce que souffrir c'est le plus
« grand des bonheurs et des honneurs. Souffrir, c'est
« pour le chrétien être choisi par Jésus-Christ pour conti-
« nuer sa passion et coopérer ainsi à la rédemption du
« monde. Dans les consolations on reçoit de Dieu ; dans les
« souffrances on donne à Dieu. C'est Dieu qui veut bien
« devenir l'obligé de ceux qui souffrent ; et puis dans la
« souffrance acceptée on est sûr d'accomplir la volonté de
« Dieu : là il n'y a plus d'erreur ou d'illusion possible. »

« Acceptons donc courageusement la souffrance ; mais aussi ne faisons pas d'imprudence et ainsi permets-moi une nouvelle citation de M. Fabre, (puisqu'il ne peut plus donner ses bons soins à notre excellente tante, qu'il vienne encore nous fortifier par son exemple). Dans ce même règlement de vie il pose en principe de faire tout ce qu'on peut faire afin de ne rien refuser à Dieu, mais pas plus qu'on ne peut faire, parce que le bon Dieu qui est le meilleur des maîtres ne demande pas l'impossible et que l'excès dans le bien pourrait engendrer la lassitude ou la présomption. Donc point d'imprudence ; point d'excès de fatigue ; point de lettre à 11 heures du soir, alors que le sommeil réclamant ses droits, doit fermer malgré eux tes yeux fatigués et faire tomber de la main la plume qu'elle essaie de tenir encore par amour pour moi. Merci de cette preuve de ton bon cœur ; mais désormais sois plus prudente, donne-moi souvent de tes nouvelles ; mais pour cela tâche de trouver dix minutes dans la journée, et si c'est trop te demander, prie Thérèse de m'accorder les quelques instants dont elle pourrait disposer sans se fatiguer. Enfin tout en remplissant avec beaucoup de zèle les devoirs que vous dictent votre piété filiale envers notre chère tante et votre charité envers Rosa, ne négligez pas de vous entourer de tout le personnel qui vous est nécessaire.

« J'espère que Dieu accordera à vos bons soins et aux prières que nous faisons tous la guérison de nos malades. Notre bonne tante, il est vrai, est bien faible pour lutter contre le mal, mais nous savons tout ce qu'on peut attendre de cette faiblesse qui plusieurs fois déjà a su revenir de bien loin. Dis-lui, en l'embrassant de ma part, que nous désirons tous qu'elle fasse de même dans les circonstances présentes. Au reste le docteur a eu bien raison de conseiller la visite du Père. Tenir son bagage prêt, cela ne précipite pas le départ ; au contraire, cet acte de résignation et d'abandon est souvent le but d'une maladie ; ce but une fois atteint, la santé ne tarde pas à revenir. Tante l'a déjà éprouvé et l'éprouvera peut-être encore. Quoi qu'il en soit, qu'elle soit pleine de confiance en Notre-Seigneur et en sa très sainte mère en l'honneur de laquelle elle a récité tant de chapelets.

« Ta lettre est pleine de recommandations concernant le soin de ma santé. Rassure-toi, chère Marie, je me porte très bien et je me soigne comme on soigne son cheval quand on a besoin de ses services ; on le ménage alors pour éviter toute maladie. C'est ce que je fais et c'est ce que je vous engage à faire. Ménageons notre monture afin de pouvoir la faire trotter ou même galoper quand le service de Dieu ou du prochain le demande. Heureusement pour le cœur, de pareils ménagements ne sont pas nécessaires. Ainsi le mien galope toujours quand il s'agit de vous, et je le laisse faire parce qu'il ne se fatigue jamais à cela.

« Charles. »

« Catarrhe, rhume, rougeole, empoisonnement......, il n'est plus question de rien de cela ; tout a été balayé par le souffle salutaire de la volonté de Dieu et après d'inquiétantes variations voici la hauteur barométrique de notre bonheur qui semble remonter de nouveau et accuser le beau temps. Ne nous plaignons pas de ces quelques jours d'orage, il en faut bien quelques-uns pour faire apprécier les beaux jours ; il en faut surtout pour faire désirer le beau fixe qui nous attend après ces variations inévitables de la vie présente. Quelle consolation de penser qu'un jour nous en aurons fini avec toutes ces misères, ou du moins il ne nous en restera que la joie de les avoir supportées avec patience et résignation. Alors plus de séparations cruelles, plus de maladies qui jettent l'inquiétude au cœur ; mais le bonheur sans mélange, non ce bonheur qu'on croit parfois goûter ici-bas et qu'un simple verre d'eau viciée peut faire perdre, mais un bonheur sans fin ! Oui, oui chère Marie, le bonheur est au ciel et il n'est que là !

« L'évènement que tu me racontes et qui aurait pu devenir une véritable catastrophe suffirait à me prouver que le bonheur n'est pas de ce monde. En effet, pourrai-je être heureux sans vous aimer, et puis-je vous aimer sans craindre les mille dangers qui vous menacent sans cesse ? Il y a à peine quelques jours, me serais-je imaginé que vous seriez tous empoisonnés en buvant de l'eau et puis-je bien m'imaginer aujourd'hui ce qui peut-être vous arrivera demain ?

« Cette seule pensée ne suffirait-elle pas pour saper par sa base même le bonheur qu'on voudrait se forger ici-bas ? Serait-elle même tolérable si je ne réfléchissais pas que Dieu vous garde comme on garde la prunelle de ses yeux et que tant que vous resterez sous l'ombre de ses ailes rien de fâcheux ne saurait vous arriver. Que Dieu vous protège donc, et vous mêmes ne faites pas d'imprudence. Maintenant que la nouvelle machine de l'usine marche, qu'on cherche à se rendre compte des dangers qu'elle peut offrir et qu'on ne néglige rien pour prévenir tout accident. Joseph a trop bon cœur et a assez de conscience de la responsabilité qui pèse sur un patron pour qu'il soit utile de lui dire quel soin il doit apporter dans cette vérification ; pour le patron chrétien, l'ouvrier est un enfant qu'il faut protéger même contre ses négligences possibles ; quant aux eaux, j'espère que toutes les précautions sont prises pour éviter les accidents dans le genre du dernier. »

« J'ai peu de temps pour t'écrire aujourd'hui, disait-il à sa sœur, le 29 juin 1884, car j'ai à préparer deux examens de droit qui auront lieu, l'un mercredi et l'autre jeudi, et cependant il me faudrait bien longtemps pour t'exprimer ce qui pèse sur mon cœur. D'abord voici une question à laquelle je te prie de répondre bien franchement : dans le cas où le choléra viendrait prendre possession de Marseille, Octave y resterait-il ? Si oui, je lui offre un compagnon bien ennuyeux, il est vrai, puisque c'est moi, mais je tâcherai d'être moin maussade que par le passé. Quant à mes examens il en sera ce que Dieu voudra.

« Canrobert disait dernièrement que pour marcher bravement contre l'ennemi il suffisait d'avoir sa feuille de route signée par l'aumônier ; heureusement pas n'est besoin qu'elle soit contresignée par le ministre de l'instruction publique ; je me passerai donc de cette dernière signature si je ne puis pas encore présenter l'examen que j'ai préparé cette année. Je suis donc à votre disposition si ma présence à Marseille peut vous être utile au jour où il y aurait un danger, ou, disons mieux, ce qu'on est convenu d'appeler ainsi, car pour nous chrétiens il ne peut y avoir qu'un danger, celui d'être pris à l'improviste; or, avec la grâce de Dieu, on évite facilement ce danger en se tenant prêt toujours. Il faut voir cependant, dans le terrible fléau qui nous menace, une punition bien méritée et une leçon que nous ferions bien de vite comprendre afin qu'il plaise à Dieu de ne pas la pousser plus avant. Hélas ! quand j'entends nuit et jour des blasphèmes monter de la rue, il me semble que c'est le choléra que l'on sème et à bien considérer les choses, celui-ci n'est rien à côté de ces horreurs. Les desseins de Dieu sont impénétrables, mais ce choléra arrivant au moment où les hôpitaux ont été laïcisés en France et au moment même où, à la chambre des députés, des Français ont eu le front d'accuser nos prêtres de fuir le service militaire par poltronnerie, ne semble-t-il pas venir à propos pour justifier ceux-ci et pour rendre nos hôpitaux à celles-là ? »

« .... Je reviens des Vêpres. L'office du jour a mis sur nos lèvres le psaume 138 où le Psalmiste menace de la peste les ennemis de Dieu : *Et super inimicos tuos tabescebam.* En rentrant je regardais le nombre hélas ! trop grand des magasins ouverts, et ma pensée me reportait vers Toulon et je me disais que s'il est triste de voir les magasins fermés la semaine il est encore plus triste de les voir ouverts le Dimanche. Enfreindre la loi de Dieu, oser s'attaquer à Lui, quelle folie, alors qu'on se trouve incapable de lutter contre l'infiniment petit, car ces microbes (si microbes il y a) tout imperceptibles qu'ils sont, sont vainqueurs de l'homme ; ils le terrifient ! mais ils ne font pas peur au vrai chrétien, car avec la conscience tranquille et la confiance en Dieu que peut-on redouter ? Là est tout le mystère du dévouement de nos sœurs. Donc point de peur et grande confiance. Prions pour fléchir la colère de Dieu ; n'exagérons rien et ne voyons pas tout en noir ; souvent les journaux ont cette tendance et nous sommes portés à les suivre. Ma santé est parfaite et l'état sanitaire de Grenoble est excellent, aussi ne quitterai-je pas cette ville pour Château-Bas, mais pour Marseille, s'il le faut. Notre bonne sœur Marguerite-Marie est sous bonne garde ; soyez donc sans inquiétude de ce côté-là. En terminant ce mois, plaçons-nous tous sous la protection du Sacré-Cœur et aimons-nous toujours en Lui. »

« CHARLES. »

La semaine suivante les évènements faisaient pousser à Charles ces cris d'indignation :

« Les imbéciles ! parce qu'ils font de nos villes des bocaux de phénol, ils s'imaginent qu'ils peuvent impunément outrager Dieu et se passer de son concours. Les misérables qui sont censés nous représenter semblent avoir voulu braver le ciel par le vote de jeudi dernier. En effet, le nom de Dieu se trouvait encore écrit au frontispice de nos lois : *Le dimanche qui suivra la rentrée*, disait notre loi constitutionnelle, *des prières publiques seront adressées à Dieu.* Et ils ont voulu supprimer ce nom béni ! Pour eux c'est logique, car tout malhonnête homme en a horreur. Et cependant si leur conscience ne parle déjà plus, Mgr Freppel a été là pour les avertir de leur triste besogne :

« En supprimant les prières publiques, leur a-t-il dit, « on va déclarer qu'on n'a pas besoin du secours de Dieu, « que la Providence est de trop dans les affaires de la « France. Eh bien ! Non, la France n'a pas cessé d'avoir « besoin du secours de Dieu. Est-ce que ses provinces « lui sont revenues !.... Est-ce que des fléaux mysté- « térieux ne la menacent point ? »

« Malgré cette magnifique protestation il ne s'est trouvé que 90 voix pour le maintien des prières publiques ; 381 voix ont été données pour la suppression. Pauvre France ! voilà un vote qui va lui coûter cher, car enfin la France entière en est responsable *en tant que nation* ; or, les nations n'existant plus dans l'autre monde doivent nécessairement recevoir un châtiment en celui-ci. Il ne nous reste plus qu'un moyen pour l'éviter, c'est la pénitence.

« C'est ce qu'ont sans doute compris les milliers de pèlerins qui se trouvaient hier réunis sur la montagne où la sainte Vierge est venue elle-même prêcher la pénitence. Qu'il était beau de voir des paysannes et de grandes dames, des paysans et des hommes de distinction, gravir cette montagne nu-pieds, la tête découverte, chantant le *Miserere* et le *Parce Domine* ! Chaque groupe attendait avec un saint désir le moment où son tour de rôle l'appelait à l'honneur de porter la croix des pèlerins de Jérusalem. Elle mesure sept mètres de long ; quant à son poids je l'ignore, mais enfin elle était assez lourde pour que chacun des vingt-cinq porteurs dont était composé chaque groupe, pût avoir le bonheur d'en sentir le poids sur ses épaules. J'ai été fort touché de voir parmi eux un capitaine d'infanterie qui venait d'être nommé à Toulon, au 61e de ligne. Cet excellent officier avait hâté son voyage pour trouver le temps de venir, lui aussi, porter sa part de la croix. Il était touchant de le voir avec son uniforme gravir nu-pieds la sainte montagne sans ostentation comme aussi sans respect humain ; de tels exemples font du bien, et le soir à Corps, j'ai rencontré un paysan qui m'a dit :

« Je ne suis pas dévot, mais je vous assure que cet « officier a bien fait et que c'est un bon officier ! »

« Et ce brave homme était tout fier d'avoir porté les bottes éperonnées du capitaine.

« La croix, partie du village de la Salette à 6 heures, est arrivée à 10 heures au sanctuaire. Pendant ce temps il a plu à Dieu de nous éprouver par une bonne averse qui est venue un peu nous rafraîchir au moment où nous trouvions qu'il faisait bien chaud. Personne n'a pris mal sauf nos bannières ; j'avais l'honneur de porter celle de l'Adoration Nocturne, je croyais que cette pauvre bannière allait se fondre, enfin c'est par un soleil splendide que la croix est arrivée au sanctuaire. Quels cris, quels vivat, quels applaudissements, quand le signe de notre rédemption s'est élevé à la place qui lui était destinée sur un monticule, derrière un autel improvisé en plein air.

L'évêque de Grenoble impose d'abord comme un acte d'obéissance, de reprendre ses chaussures (on n'a pas eu trop de peine à lui obéir) ; alors Monseigneur, dans un sermon prononcé d'une voix émue, salue la croix, puis commence le saint sacrifice. Le calme le plus profond, le recueillement a succédé aux manifestations bruyantes ; de temps en temps les échos de ces montagnes répercutent les mélodies exécutées par une fanfare, au son de la cloche qui nous invite à fléchir les genoux et à incliner le front devant Dieu mille fois plus grand que toutes ces montagnes que sa parole a créées et qui se fait petit pour se mettre à notre portée.

« Quel spectacle saisissant ! Il n'y a que quelques années à peine, la voix du pâtre venait seule troubler le silence de ces montagnes, aujourd'hui une basilique a surgi et des milliers de pèlerins attestent par leur présence que la Vierge a passé par là.

« Après la messe, la bénédiction du Très Saint Sacrement, réunion des hommes et formation d'une vaste ligue antimaçonnique ; sur la proposition de Monseigneur, on se fait inscrire avec enthousiasme dans la société des Porte-Christ. Le soir, administration du Sacrement de confirmation et puis......... il faut quitter le sanctuaire où j'ai passé une si bonne journée, puisque la croix a été arborée et le démon attaqué dans son infernale secte de la franc-maçonnerie. Au jour du jugement, la croix triomphante apparaîtra dans les airs, ma pensée me reportera peut-être alors à cette journée où j'ai vu la croix s'élever aussi dans les airs et j'espère bien que le même cri d'amour que cette vue a fait sortir de mon cœur, sera répété par moi et par nous tous à ce moment si terrible.

« Certes je n'ai pas quitté Notre-Dame de la Salette sans me désaltérer à la source miraculeuse, ni sans laisser aux pieds de cette bonne Mère les vœux que je forme pour vous tous. Demain commencera à nos intentions une neuvaine de messes qui se terminera le jour de Notre-Dame du Mont-Carmel. Joignons-nous y de tout cœur ; une autre messe sera dite le 31 de ce mois, fête de saint Ignace.

« Ma santé est parfaite, je n'ai besoin de rien autre que de vos bonnes prières et un peu aussi de vos nouvelles. Je te charge, chère Sœur, de mille choses affectueuses pour tous les nôtres et en particulier pour notre bonne grand'-mère et pour notre chère tante. Si les cœurs avaient leur téléphone tous les matins et tous les soirs elles ne manqueraient pas d'entendre le bonjour et le bonsoir que j'étais si heureux de leur donner chaque jour.

« CHARLES. »

Le 13 juillet il écrivit encore à sa famille :

« Nous sommes ici tout pavoisés ; mais les écussons aux iniales R F semblent vouloir rappeler à ceux qui n'y veulent pas penser combien de pareilles fêtes sont en ce moment indécentes : *Réjouissances — Fléaux !*....... Réjouissances ici, fléaux là-bas ; réjouissances aujourd'hui, fléaux peut-être demain. A ce qu'il paraît, maintenant le patriotisme consiste à s'amuser alors même que nos frères souffrent et meurent. Puisque la France est une nation bien unie ne serait-il pas préférable d'envoyer à ceux qui souffrent ces sommes qui vont ici se dépenser follement, ou au moins de les réserver pour le cas où le terrible visiteur viendrait infecter ces pays ? Mais non, il faut se réjouir, le salut de la république est, paraît-il, à ce prix. Ah ! tout de même il est bien triste de voir autour de soi des signes d'une joie qui n'est pas dans le cœur ! Mais laissons ces républicains à leur enivrement stupide ; je préfère me transporter par la pensée au milieu de vous. Que fait-on à Château-Bas ? Est-on prudent sans crainte ? « Il n'en faut jamais d'autre que celle de Dieu ».

« Dans la nuit de jeudi à vendredi dernier, les adorateurs ont invoqué pour Marseille la clémence du cœur de Jésus. Courage et confiance ! Ne cessons de prier maintenant que la science a déclaré que, suivant le cours naturel des choses, le fléau doit durer jusqu'à l'automne, peut-être plaira-t-il au Sacré-Cœur de se laisser fléchir et de nous débarasser du choléra avant cette époque.

« Je vous rappelle que notre neuvaine de messes à la Salette se termine le jour de Notre-Dame du Mont-Carmel ; samedi, invoquons bien saint Vincent-de-Paul qui fut si bon pour soulager toutes les misères de l'humanité. Nous sommes aussi à l'époque de l'année où se font ordinairement les six dimanches en l'honneur de saint Louis de Gonzague ; inutile de vous recommander cette dévotion envers un saint qui donna l'exemple d'un si grand dévouement pendant l'épidémie qui sévissait à Rome. J'espère que notre petit Charles continue toujours sa prière à notre saint patron, afin qu'il délivre Marseille comme jadis il délivra Milan de la peste. Mes examens sont fixés au 31 juillet, cette date est pour moi pleine d'espérance ; enfin refusé ou reçu, je la vois approcher avec bonheur, car avec elle approche le jour où je pourrai vous rejoindre.

« CHARLES. »

VII

Vacances et deuxième année de préparation au Doctorat en Droit à Grenoble

Le 1er août un télégramme annonça à sa famille le succès de Charles et son arrivée fixée au surlendemain, car il voulait, avant de quitter Grenoble, profiter des indulgences de la Portioncule dont il aurait été privé à la campagne. L'épidémie sévissant toujours à Marseille, Charles s'arrêta à Gardanne et passa les trois mois de vacances dans la propriété de Château-Bas qu'il aimait à plusieurs titres, d'abord à cause de sa petite chapelle et sans doute aussi à cause du calme et de la solitude qui font de ce séjour une véritable Thébaïde.

Là encore, il eut son règlement; et son but, pendant ce temps de repos, fut de chercher à faire du bien non-seulement à son entourage, mais aux fermiers des environs. Levé tous les matins de très bonne heure, il gravissait à pied trois kilomètres de colline pour se rendre à l'église du village, et ce qui affligeait son cœur, c'était d'être souvent le seul assistant au saint sacrifice ; malgré la consolation qu'il aurait eue à la servir lui-même, il préférait laisser ce soin aux enfants de chœur, car il y a pour eux une obligation dont il ne faut pas les dispenser, disait-il. Charles employait le trajet à faire la méditation en allant et à réciter le rosaire en revenant ; puis, s'il rencontrait quelque laboureur se rendant au travail, il le saluait familièrement, lui parlait de ses récoltes et ne le quittait qu'après lui avoir adroitement recommandé la sanctification du Dimanche et lui avoir inspiré l'horreur du blasphème. Aux enfants il apprenait à faire le signe de la croix, et pour apprivoiser ce petit monde, Charles avait toujours dans ses poches des berlingots et des médailles ; il distribuait aussi des chapelets et n'oubliait, pour les hommes et les jeunes gens, ni le tabac ni les cigares. Comme il ne fumait pas, sa sœur fut étonnée un jour d'en trouver dans sa chambre :

« Que veux-tu, ce sont mes appâts, lui dit-il, le missionnaire offre des perles pour attirer les néophytes, ce tabac a le même but. »

A Château-Bas, le chemin de la croix et la visite à la sainte Vierge remplaçaient pour Charles la visite quotidienne au Saint-Sacrement et souvent il s'oubliait dans cette petite chapelle, sanctifiée par le saint sacrifice qui y était célébré le Dimanche.

Le vénérable curé de la paroisse, prêtre aussi instruit que pieux, fut si édifié des vertus du saint jeune homme qu'il prétendit trouver en lui un dédommagement aux difficultés que rencontrait son ministère dans un pays ravagé comme tant d'autres hélas ! par les progrès des mauvaises doctrines et de l'indifférence religieuse ; il devint son ami et un ami fidèle, car quoique changé de poste, à la nouvelle de la maladie de Charles il vint de bien loin pour lui apporter le témoignage de son affection et lui assurer le secours de ses prières.

Avant de quitter la campagne, Charles désireux de donner à la croix de Notre-Seigneur un hommage de sa vénération et à la population de Mimet un bon exemple, voulut replacer à l'entrée du village la croix de Mission que la foudre avait brisée. Par les soins de l'excellent curé dont nous venons de parler, le modeste monument fut érigé d'une manière solennelle et il demeure comme un souvenir touchant de la piété de celui dont le plus ardent désir en ce monde fut le triomphe de Jésus sur tous les cœurs.

Complètement rassuré sur l'état sanitaire de Marseille où sa famille était revenue depuis quelques jours, Charles repartit le 3 novembre pour Grenoble, où il reprit avec la même régularité, son travail et ses pieuses habitudes. Cette année, qui était sa seconde de préparation au doctorat, devait, selon toute probabilité, être la dernière de séparation ; aussi cette pensée réjouissait les siens qui pendant ces longues vacances s'étaient fait de sa présence un vrai besoin. Il continua à leur écrire chaque semaine et tâcha de faire passer dans ses lettres son âme et son cœur. On nous permettra de citer encore quelques extraits de cette correspondance :

Grenoble, le 30 Novembre 1884,

CHÈRE MARIE,

« En ai-je fait des visites à la boîte aux lettres, depuis jeudi ! Or sais-tu ce que je n'ai cessé d'y trouver ? La déception dans mon attente ; je crois même que si je m'y arrêtais trop longtemps j'y trouverais aussi un peu d'inquiétude, mais non je préfère croire à un retard indépendant de toute cause fâcheuse, indépendant surtout de ta volonté ; en effet, tu m'aimes trop pour me priver de tes bonnes lettres toujours si désirées, car elles me font, pour ainsi dire, respirer cet air salutaire de la vie de famille. Oui, elles sont nécessaires à mon cœur, comme l'air à mes poumons.

« Je me porte à merveille malgré le froid qui décidément s'est installé à Grenoble. Nous voilà de nouveau à patauger le matin dans la neige blanche, le jour dans d'affreux bourbiers qui le soir se transforment en véritables casse-cou. Inutile de te dire que mon cou n'a été nullement cassé et que si mes pieds se mouillent dans les rues, ils trouvent un remède et une compensation dans ma chambre où un stoker leur fournit sa chaleur bienfaisante, affaire d'obtenir qu'ils me laissent la paix, afin de pouvoir mieux m'appliquer aux études que le bon Dieu demande de moi et que d'ailleurs Il daigne bénir, puisque cette semaine encore ; Il a permis qu'un premier prix et une mention m'aient été décernés par la Faculté de Grenoble. Je t'annonce cela, non pour recevoir de toi des louanges que je ne mérite pas, mais pour t'inviter à remercier la sainte Vierge sous la protection de laquelle j'avais placé les compositions qui ont été couronnées ; j'avoue que sans Elle je n'aurais pas même tenté l'épreuve.

Le bonheur que j'éprouve à parler de notre bonne Mère me porte à te rappeler que vendredi 5 décembre, l'univers catholique célèbre, sur l'invitation du Souverain Pontife, le troisième centenaire de l'érection canonique de la *Prima Primaria* ; profitons bien des trésors célestes de l'Eglise que le Saint-Père nous ouvre à cette occasion et renouvelons notre promesse d'aimer toujours la sainte Vierge, notre souveraine, notre patronne et notre avocate.

Qu'il est doux de penser que nous avons une Mère si puissante ! Est-il une inquiétude qui puisse résister deux minutes à cette pensée ! Oh ! que Louis Veuillot avait raison d'écrire à son frère, au début de sa conversion :

« Je t'avoue que depuis que je suis chrétien, je ne sais « plus ce que c'est que craindre un évènement quelconque « pourvu que je n'aie pas sur la conscience de trop gros « péchés. Je ne me défends pas d'éprouver en quelques « circonstances extraordinaires et périlleuses une certaine « inquiétude naturelle à toute créature, mais cette in- « quiétude elle-même ne résiste pas à deux minutes de « réflexion. »

« Ces paroles me rappellent une scène touchante dont j'ai été témoin l'autre jour où plutôt l'autre nuit. C'était jeudi dernier, à 11 heures du soir, nous étions cette nuit-là, de garde auprès de Celui qui du fond de ses Tabernacles est toujours de garde pour nous. Je prenais mon sommeil, étendu à terre sur un matelas. Tout à coup je m'éveille en sursaut me sentant secoué avec un grondement sinistre et je me trouve à genoux auprès de mes compagnons de la Garde-d'Honneur ; ils adressent, nous adressons tous à Dieu une fervente prière et nous invoquons nos saints anges afin qu'ils veillent sur nous. C'était un tremblement de terre qui venait d'agiter ainsi le sol ; nous admirâmes ensemble la puissance de Dieu qui permet à de tels phénomènes de se produire et aussi sa bonté qui avait limité la force de cette trépidation et ne lui avait pas permis de renverser nos demeures. Après quoi nous nous rendormîmes tout tranquillement ; le phénomène était-il terminé ?.... N'allait-il pas recommencer avec plus de violence encore ?..... Que nous importait ; le Dieu que nous adorons et qui nous protège règne sur la terre comme sur la mer. Nous pouvions dormir tranquilles, nous attendions l'heure prochaine de Le recevoir, s'Il nous avait appelé avant c'eût été Lui qui nous aurait reçus.

« Le lendemain, m'entretenant de cet évènement, avec un de mes camarades, il m'avoua qu'il était au spectacle à ce moment même. Je ne pus m'empêcher de penser combien en cas d'accident j'aurais préféré être où je me trouvais plutôt qu'enseveli sous les ruines d'un théâtre. Grâce à Dieu aucune catastrophe ne s'est produite, tout s'est borné à remuer un peu les maisons et, je l'espère, aussi un peu les consciences.

« Adieu, chère Marie, aimons-nous toujours dans le Seigneur et si le temps de la séparation nous paraît long, rappelons-nous le consolant rendez-vous que saint Elzéar de Sabran indiquait à sainte Delphine son épouse :

« Si vous voulez me trouver, cherchez-moi dans la « plaie du côté de Jésus, c'est là que je passe ma vie. »

« Que toute notre famille pénètre dans cette plaie sacrée ; c'était le désir de maman, car une de ses dernières courses a été au premier monastère de la Visitation où elle nous consacra tous au Sacré-Cœur. N'oublie pas de m'écrire au plus tôt, car depuis ta lettre du 22, je suis sans nouvelles et tu sais combien en désire celui qui vous aime en Notre-Seigneur. »

« Charles. »

Tout détaché de cœur et d'esprit des biens de ce monde, Charles écrivait dans une de ses lettres :

« Merci du versement fait pour moi chez le banquier ; Dieu fasse que de cette somme pas un centime ne soit mal employé, il nous prête ses biens terrestres afin que nous puissions les faire servir à sa plus grande gloire ; à nous d'être des dispensateurs fidèles, un jour viendra où il nous faudra rendre compte de l'emploi de nos richesses. Ah ! si tous les riches pensaient à cela il y aurait moins de mauvais pauvres. »

Dépourvu d'ambition humaine il disait en parlant de la fortune :

« Le travail a été imposé à notre premier père comme châtiment et expiation, ne l'oublions pas. Dieu n'a pas dit à l'homme : il faut que tu gagnes cent mille francs ; mais : tu gagneras ton pain. Travaillons donc pour Dieu, pour Lui seulement. »

Charles, qui savait trouver dans sa foi profonde un adoucissement à toutes les douleurs, écrivit la lettre suivante à l'abbé P. son ami, qui a bien voulu nous la communiquer et qui la considère comme une des plus consolantes qui lui aient été adressées :

« Cher monsieur l'abbé,

« Une lettre de ma sœur Marie vient de m'apprendre la triste nouvelle du deuil qui vous frappe. Deux blessures en moins de deux ans ! Que votre pauvre cœur doit souffrir !

Avec quelle tristesse ne devez-vous pas répéter ces paroles de l'auteur de l'Imitation :

« Comment, après cela, peut-on aimer une vie si pleine « d'amertume et sujette à tant de calamités et de misè- « res ? Comment peut-on l'appeler vie, elle qui engendre « tant de morts. »

« Triste condition que la nôtre ! Aimer ceux que Dieu nous permet, que dis-je !..... ceux qu'Il nous ordonne d'aimer, c'est notre bonheur, car c'est un besoin légitime de notre cœur : C'est sa vie ! et cependant il faut que cette vie lui soit arrachée autant de fois qu'il possède d'objets aimés, en sorte que plus il aime, c'est-à-dire plus il vit, plus aussi il a à mourir. Et voilà pourquoi, cher Monsieur l'Abbé, votre douleur est si profonde aujourd'hui. Cette douleur a pour mesure la bonté même de ce cher père ravi à votre affection ; mais cette bonté doit être aussi la mesure de votre espérance puisqu'elle est le gage de son bonheur et s'il faut à votre cœur une consolation plus puissante encore, élevez vos espérances à la hauteur même des bontés de Dieu. Adorons ses volontés trois fois saintes, et malgré la tristesse naturelle qui nous saisit, bénissons-la toujours quand il lui plaît de nous visiter par des morts consolantes. Ces morts, en effet, en nous détachant de la terre, tressent notre couronne céleste en même temps qu'elles assurent la victoire de ceux qui paraissent en être les victimes, mais qui en réalité sont de véritables privilégiés.

« Mourir dans la grâce de Dieu, quel bonheur et quelle victoire ! Nous ne vivons que pour cela. Il est vrai qu'on pourrait encore s'affliger à la pensée des souffrances du purgatoire, il faut être si pur pour entrer au ciel ! Mais l'Eglise a pourvu à tout en nous donnant les moyens de venir en aide à ces chères âmes ; et puis, quelle consolation de savoir qu'en souffrant elles aiment Dieu et sont assurées de l'aimer toujours ! Quels hommes nous sommes, nous chrétiens ! En aimant Dieu nous ne craignons rien, et en le priant nous surmontons tout. La mort peut bien nous imposer des séparations pénibles, mais nous savons qu'elles n'auront qu'un temps et que la mort elle-même nous réunira à ceux dont elle nous a séparés ; pour nous, elle n'est plus un objet d'horreur ; nous l'attendons avec patience, et même, en l'attendant, elle n'est pas parvenue à nous séparer entièrement. Il nous reste encore la prière, il nous reste encore un tombeau ! Tombeau qui un jour rendra sa proie et sur lequel, par conséquent, nous pouvons fonder plus d'espérances que nos parents eux-mêmes n'en fondèrent sur notre berceau.

« Veuillez, cher Monsieur l'Abbé, présenter mes compliments de condoléance à mademoiselle votre sœur, et agréer pour vous le témoignage de ma respectueuse amitié. »

« Charles Ranque. »

« Que suis-je venu chercher à Grenoble ? avait-il écrit dès son arrivée dans cette ville. Est-ce un parchemin universitaire et la vaine gloire de l'avoir conquis ? Non ! Ce que je cherche avant tout, c'est de devenir, pour la plus grande gloire de Dieu, un instrument plus utile que je ne l'ai été jusqu'à ce jour. »

Et ailleurs :

« Je veux offrir tout mon travail au bon Dieu. Il est mon Maître ; Il a donc le droit d'en disposer suivant son bon plaisir ; je sais aussi qu'Il est mon Père et que, par conséquent, Il le fera servir de la manière qui me sera la plus avantageuse, et même, ce travail ne devrait-il jamais servir, il suffit, pour ne pas le faire à pure perte, de le faire pour le bon Dieu, car Il récompense le travail et non le résultat. »

Dans sa lettre du 2 décembre 1883, Charles s'exprimait ainsi :

« Nous ne sommes que quatre aspirants au doctorat ; cela m'effraierait beaucoup si j'aspirais seulement au doctorat, au lieu d'aspirer à m'acquitter de tout ce que je dois faire pour y parvenir, si le bon Dieu le veut. Le soir quand devant Dieu, interrogeant ma conscience, je puis me dire que j'ai bien travaillé, ce témoignage est pour moi un trésor plus précieux que tous les titres universitaires qui seraient venus couronner ce travail. Bien plus, je suppose qu'aucun titre de ce genre ne vienne jamais le couronner, je suppose que toutes mes heures de travail viennent se briser contre un échec, eh bien ! tant mieux, car alors mon espérance en la couronne éternelle que j'attends avec confiance comme récompense de mon labeur, n'en sera que plus raffermie, et cet échec même, qui mortifiera mon amour-propre, sera à cette couronne un joyau de plus. »

Mais cet échec, il ne le connut pas ; son travail, constamment offert à Dieu et si bien accompli, fut toujours couronné des plus brillants succès ; succès que Charles n'attribuait qu'à l'intervention divine. Sa dernière lettre de Grenoble est ainsi conçue :

« 18 juillet 1885.

« Mon télégramme vous a déjà invités à remercier Dieu du succès tout à fait inattendu qu'Il vient de m'accorder, à cause certainement de toutes les bonnes prières qui ont été faites pour moi à cette occasion. Sans cette raison, un tel succès resterait entièrement inexplicable. Cet examen, en effet, était si vaste, que je sentais mon esprit trop étroit pour en embrasser toutes les matières ; aussi étais-je déjà affublé de la robe, que j'exprimais encore à l'un de mes camarades toutes mes appréhensions. Si je n'écoutais que mon amour-propre, lui disais-je, peut-être attendrais-je, comme vous, le mois de novembre pour me présenter, tant j'ai peur d'être trouvé nul. Enfin, ajoutais-je en forme de consolation : j'en serai quitte pour la perte de mon argent et pour y gagner une petite humiliation....... Un instant après, mon examen commençait ; il était trois heures.

« Les premières questions ne firent qu'augmenter mes craintes et déjà je renvouvelais, *in petto*, mon acte de résignation, quand, au bout d'un quart d'heure, les affaires ont changé de face. Dès ce moment, en effet, et pendant les deux heures suivantes, les réponses me venaient avec une facilité qui m'étonnait, je prenais un aplomb qui ne me laissait hésiter sur aucune question ; une seule peut-être aurait été de nature à me donner quelque incertitude : c'eût été de savoir si c'était bien moi qui me trouvais sur ma chaise. Bref, le premier quart d'heure a été si bien racheté, que la Faculté a cru devoir me décerner ses éloges.

« Et maintenant, voilà une grosse dette à payer, ou du moins voici un devoir bien doux à remplir, celui de la reconnaissance ; et de même que sans vous je n'aurais pu obtenir cette faveur, de même aussi je serais, sans vous, incapable de l'acquitter. C'est pourquoi je vous invite à joindre vos actions de grâces aux miennes, tout en priant Dieu de me faire user toujours pour sa plus grande gloire des titres que je dois à sa bonté et à l'intercession de la bonne Mère. »

Avant de s'éloigner à jamais du diocèse de Notre-Dame de la Salette, Charles tint à gravir, pour la quatrième fois, la sainte montagne, afin de remercier Celle qui pendant deux ans l'avait abrité sous son manteau. De ce lieu béni, il écrivit le 27 juillet 1885 :

« Je suis tellement assuré de cette puissance de la très sainte Vierge, que je tiens à commencer ma thèse ici-même et aujourd'hui ; je ne ferai, bien entendu, qu'un petit travail très court, mais la bonne Mère voudra bien l'agréer comme une marque de l'intention où je suis de travailler toujours avec son aide et sous son patronage.

VIII

Retour à Marseille

Le retour de Charles dans sa famille fut marqué par un deuil nouveau ; une attaque de choléra enleva en quelques heures sa nièce Madeleine, charmante enfant de trois ans ; la chère petite expira entre les bras de son oncle, qu'elle aimait avec préférence, et qui devait si vite la rejoindre au ciel.

En revenant à Marseille, avec l'intention de s'y fixer, Charles voulut secouer sa timidité d'autrefois qu'il appelait humblement sa sauvagerie et son égoïsme ; et afin de donner à sa vie un but utile, il se livra de toute son âme aux œuvres de zèle. C'est ainsi qu'au mois de septembre 1885, allant assister, à Lyon, au congrès des jurisconsultes catholiques, il se chargea d'y représenter un journal conservateur de Marseille, *le Citoyen*, heureux qu'il était de faire connaître aux lecteurs de cette excellente feuille une œuvre qu'il aimait parce qu'elle combat pour l'Eglise et pour la France. En 1884, il avait fait partie, à Dijon, de ce même congrès, et cette année encore, les jurisconsultes devant se réunir à Lille, Charles se proposait de les rejoindre à cette extrémité de la France ; mais Dieu disposa de lui avant ce temps et, par une triste coïncidence, sa carte de convocation fut reçue la veille de ses funérailles.

Autant que la vie de famille put le lui permettre, il suivit le règlement qu'il s'était tracé à Grenoble ; il reprit ses visites aux pauvres et son ancienne charge de trésorier de la conférence. L'Œuvre du Sou des Écoles trouva en lui un zélé propagateur, et monsieur le curé de Saint-Pierre-Saint-Paul, un de ses paroissiens les plus édifiants et les plus fidèles. — Afin de remplacer sa chère Adoration Nocturne, il se fit recevoir de l'association du Sacré-Cœur (dite de *M. Timon-David*), dont les membres se réunissent, pour la veillée sainte, de neuf heures à minuit, le dernier jeudi du mois. Mais à Grenoble, Charles était plus souvent de garde ; il avait auprès de Notre-Seigneur un service de quinzaine et pour la nuit entière. Sa privation était donc bien grande ; toutefois, sa piété tâchait de trouver un dédommagement à ce sacrifice en rendant ses visites au Saint-Sacrement plus fréquentes et plus longues.

« O vous qui m'aimez tant, Jésus ici véritablement Dieu caché, écoutez-moi, je vous implore, disait-il chaque jour devant le saint tabernacle.

« Que votre bon plaisir soit mon plaisir, ma passion, mon amour ! Donnez-moi de le chercher, de le trouver, de l'accomplir ! Montrez-moi vos chemins, indiquez-moi vos sentiers. Vous avez vos desseins sur moi, dites-les moi bien, et donnez-moi de les suivre jusqu'au définitif salut de mon âme. Qu'indifférent à tout ce qui se passe, et ne voulant voir que Vous, j'aime tout ce qui est à Vous, mais Vous surtout, mon Dieu ! Vous ! Rendez-moi amère toute joie qui n'est pas Vous, impossible tout désir hors de Vous, délicieux tout travail fait pour Vous, insupportable tout repos qui n'est pas en Vous. Qu'à toute heure, ô bon Jésus, mon âme prenne vers Vous son vol ; que ma vie ne soit qu'un acte d'amour. Toute œuvre qui ne Vous honore pas, faites-moi bien sentir qu'elle est morte. Que ma piété soit moins une habitude qu'un élan continuel du cœur. O

Jésus, mes délices et ma vie, donnez-moi d'être sans recherche dans mon humilité, sans dissipation dans mes joies, sans abattement dans mes tristesses, sans rudesse dans mon austérité. Donnez-moi de parler sans détour, de craindre sans désespoir, d'espérer sans présomption, d'être pur et sans tache, de reprendre sans colère, d'aimer sans faux semblant, d'édifier sans ostentation, d'obéir sans réplique, de souffrir sans murmure.

« Bonté suprême, ô Jésus, je vous demande un cœur épris de Vous, qu'aucun spectacle, aucun bruit ne puisse distraire ; un cœur fidèle et fier qui ne chancelle jamais ; un cœur indomptable, toujours prêt à lutter après chaque tempête ; un cœur libre, jamais séduit, jamais esclave ; un cœur droit qu'on ne trouve jamais dans les voies tortueuses.

« Et mon esprit, Seigneur, mon esprit ! qu'impuissant à Vous méconnaître, ardent à vous chercher, il sache Vous rencontrer, Vous, la suprême sagesse ! Que ses entretiens ne Vous déplaisent pas trop. Que, confiant et calme, il attende vos réponses, et que sur votre parole il se repose.

« Puisse la pénitence me faire sentir les épines de votre couronne ! Puissent vos grâces me verser vos dons dans la route de l'exil ! Puisse la gloire m'enivrer de vos joies dans la Patrie. Ainsi soit-il. »

Charles s'était si bien identifié à cette belle prière du Docteur Angélique, qu'elle résume d'une manière admirable toute sa vie.

Il ne pouvait passer devant une église ouverte sans s'y arrêter quelques instants ; et l'on ne peut oublier avec quel respect profond, quel esprit de foi il se découvrait devant une chapelle ou devant la croix. Accompagner le saint viatique était une de ses pratiques les plus aimées, aussi le voyait-on tout triste quand, retenu chez lui ou n'ayant pas entendu l'appel de la cloche, il n'avait pu escorter Notre-Seigneur.

En fils dévoué de la très sainte Vierge, Charles se faisait un bonheur de répandre son culte et de lui gagner de nouveaux cœurs ; puis, par de petites pratiques, il témoignait à cette bonne Mère tout son amour. C'est ainsi que chaque matin, après avoir entendu la messe, il s'agenouillait dévotement au pied de son autel et du fond de son cœur il répétait, comme autrefois saint Louis de Gonzague :

« Vierge sainte, Marie, mon guide et ma souveraine, je viens me jeter dans le sein de votre miséricorde et mettre dès ce moment, et pour toujours, mon âme et mon corps sous votre protection spéciale. Je vous confie et je remets entre vos mains, toutes mes espérances et mes consolations, toutes mes peines et mes misères, ainsi que le cours et la fin de ma vie, afin que par votre sainte intercession et par vos mérites, toutes mes œuvres soient faites selon votre volonté et en vue de plaire à votre divin Fils. Ainsi soit-il. »

L'habitation de sa famille, construite en face de Notre-Dame de la Garde, permettait à Charles d'élever à chaque instant du jour ses regards vers la bonne Mère ; jamais il n'entrait ou ne sortait de chez lui sans avoir salué la basilique et avoir récité les trois *Ave* auxquels sont attachés les indulgences. Il était d'une fidélité parfaite à la dévotion de l'*Angelus*, et afin d'honorer les douleurs de sa céleste Mère, tous les vendredis, après l'heure sainte, il lisait le *Stabat Mater* et faisait deux fois par semaine le chemin de la croix.

A la belle devise A. M. D. G., qu'il avait adoptée depuis son entrée au collège, Charles ajoutait celle de : *Tout à Marie!* Aussi, en tête du premier volume d'un grand prix remporté dans un concours de Droit, il colla l'image de la sainte Vierge, et écrivit au-dessous : « *Oro te, Mater amantissima, Sedes sapientiæ, ut laboribus meis benigne faveas. Ego vero, quod justum est, pie libenterque promitto, quidquid boni mihi inde successerit, id me tuæ apud Deum intercessioni totum acceptum relaturum.* »

Jamais il n'aurait consenti à prendre son repos sans avoir terminé les trois parties du saint Rosaire, et afin de s'endormir plus sûrement sous les yeux de la bonne Mère, il passait à son cou, en se couchant, son grand chapelet, ce compagnon fidèle qu'il porta ainsi ostensiblement jusqu'à son dernier soupir. Charles avait une grande dévotion pour saint Joseph, saint Ignace, saint François-Xavier et les trois jeunes saints de la Compagnie de Jésus, saint Jean Evangéliste, saint François d'Assise, les saints anges gardiens, et surtout ses saints patrons ; nous avons vu que, tout enfant, il aimait à se faire lire leur vie, dont il connaissait les principaux traits ; il célébrait leur fête avec un redoublement de piété, faisait offrir ces jours-là une messe à laquelle il assistait et communiait, et leur demandait avec confiance la grâce de les imiter, persuadé que chaque saint donne à ceux qui lui ont été confiés au baptême, quelque chose du caractère et des vertus qui l'ont distingué ici-bas.

L'*Imitation de Jésus - Christ* et les saints Evangiles étaient presque les seuls livres dans lesquels Charles méditait et puisait chaque jour cette piété douce et aimable comme celle des saints.

Aimant Dieu de toute son âme, il aimait aussi le prochain plus que lui-même, car il avait pour les autres une indulgence et des ménagements qu'il ne s'accordait pas ; jamais le moindre propos contraire à la charité ne sortait de ses lèvres : « Ne jugeons pas, et nous ne serons pas jugés », disait-il souvent. On ne peut oublier le tact tout particulier qu'il employait pour détourner les conversations futiles : ordinairement, il avertissait avec douceur, mais lorsque, se trouvant avec des personnes qui lui étaient supérieures par l'âge ou le rang, ce moyen lui était impossible, il témoignait alors, par un silence plein de tristesse, le dégoût que lui inspiraient de pareils sujets. « Quand on voit quelqu'un faire une chose défendue, ajoutait Charles, il ne faut l'avertir de la défense que si on est certain qu'il cessera de le faire ; si, au contraire, on croit qu'il continuera quand même, il vaut mieux le laisser dans l'erreur. »

Sa manière de faire l'aumône était aussi délicate qu'intelligente ; il ne donnait aux pauvres que des objets mis en état et arrangés selon la condition de ceux qui devaient les porter. « Il est de notre devoir, disait-il, de faciliter aux pauvres gens le goût de la propreté et de l'ordre que le manque de temps et d'argent leur rend si difficile. »

Nous avons parlé plus haut de ce qu'il pensait de l'emploi des richesses.

« Quand on a beaucoup, répétait-il, on doit donner

beaucoup; si l'on a moins, on donne moins ; si l'on n'a rien, on demande humblement et l'on reçoit sans haine ; le bon Dieu, qui est le plus indulgent des Maîtres, n'exige rien au-dessus de nos moyens ; à nous maintenant de ne nous point créer ces nécessités absurdes qui, trop souvent, hélas ! amoindrissent le chiffre de nos aumônes et sèment dans le cœur du pauvre la haine et l'abjection. D'ailleurs, persuadons-nous bien, et par notre sympathie rappelons doucement à ceux qui souffrent, qu'il n'y a réellement en ce monde de vrai malheur que le péché : Maladies, contradictions, misère, tout cela n'est rien. »

Animé du véritable esprit de saint Vincent de Paul, Charles s'adressait d'abord aux besoins du corps pour arriver jusqu'aux âmes qu'il voulait gagner à Dieu ; en retour d'un emploi ou d'un secours procuré, il réclamait l'assistance à la messe du dimanche et, si aux fêtes de Noël il songeait au nougat et aux friandises, c'était pour se mieux autoriser à rappeler au carême les grands devoirs de la religion ; il s'acquittait de cet apostolat avec la perfection qu'il mettait à toute chose ; aussi, les familles qu'il assistait désiraient ses visites, moins peut-être à cause de son offrande, que pour le bien que ses paroles leur faisaient.

Le zèle de Charles s'exerçait tout particulièrement encore envers les enfants du catéchisme. Plusieurs venaient chez lui ; s'il n'avait pas le temps de le leur faire réciter lui-même, il confiait ce soin à ses sœurs ; mais quand le beau jour de leur première communion approchait, alors il ne cédait à personne le bonheur de préparer ces petites âmes à l'action la plus sainte et la plus imposante de la vie.

Cet amour des pauvres qui, après l'amour de Dieu, consumait son cœur, il s'efforçait de le répandre tout autour de lui ; il voulait que de bonne heure on initiât ses neveux à faire l'aumône, surtout l'aumône en nature. Apprenez-leur, recommandait-il, à savoir se dépouiller d'un joujou on d'un gâteau en faveur de ces pauvres petits déshérités de la fortune.

« Aime bien les pauvres, écrivit-il un jour au petit Charles ; s'ils sont plus sages que toi, ils valent mieux que toi ; ne l'oublie pas. »

Quelques passages de la correspondance de Charles, cités plus haut, nous ont révélé une partie de son humilité, humilité toute simple, toute pure et qui se traduisait dans la moindre de ses paroles comme dans chacune de ses actions. Lui qui mettait tant d'aménité dans ses rapports quotidiens, lui qui s'oubliait pour songer aux autres, lui dont la douceur était sans faiblesse, et la fermeté sans dureté, lui toujours patient, toujours soumis, toujours égal ; lui, qui, selon l'expression de saint Paul, savait se faire tout à tous, voici comment il se jugeait lui-même :

Lettre du 7 juin 1887 :

« Je vois approcher l'époque de mon retour au milieu de vous, et je crains bien que vous ne me retrouviez aussi fâcheux que par le passé, je dirais même aussi insupportable, si votre charité ne vous faisait supporter tous ces travers dont je souffre et que je désavoue. En tout cas, ce que je proclame bien haut, puisque l'occasion s'en présente ici, c'est que cette maussaderie ne vient pas de la piété que je désire acquérir et que je demande à Dieu. Cette piété, loin d'être la cause du mal, en sera certainement le seul remède, et si ce remède n'a pas encore eu raison du mal, c'est que, par ma lâcheté, je ne l'ai pas assez vigoureusement appliqué. »

Peut-être, en effet, Charles souffrait-il de son caractère; mais il savait si bien se dominer, que sans rien soupçonner de ses tortures intérieures, on rencontrait en lui l'homme le plus aimable et le plus égal. Plein de bontés pour les siens, il les aimait avec cette dignité qui n'exclut point la tendresse, mais qui réprime le laisser aller des manières et l'exagération des sentiments ; tout en Charles était empreint de ce respect qu'il se devait à lui-même et qu'il portait aux autres.

« Je te connais trop, écrivait-il à sa jeune sœur, pour te servir de telles sottises (il parlait de compliments), et tu me connais assez pour me croire incapable de pareilles fadaises. »

Complaisant, sans empressement, poli, sans affectation, il avait dans ses manières une distinction qui donnait à sa personne un charme indéfinissable ; mais à tous les dons intellectuels et physiques, il joignait encore la modestie des saints, et ses grands yeux, si chastes et si purs, reflétaient toute la candeur de son âme.

« Pour saisir ce beau regard, disait une dame amie de la famille, il fallait voir Charles auprès d'un petit enfant. » C'est, qu'en effet, les cœurs purs se comprennent et s'attirent, et avec ces chères âmes, toutes blanches de leur baptême, l'austère et pieux jeune homme ne craignait plus de se laisser aller à toute l'effusion de sa tendresse ; les plus jeunes de ses neveux étaient toujours les préférés. « Qu'il est beau, disait-il, en embrassant le petit Alexandre, qu'il est beau ce cher ange qui n'a jamais offensé le bon Dieu ! »

Au commencement de ce récit, nous avons raconté qu'élevé dans des principes que notre triste époque tend à faire disparaître, Charles avait appris dès l'enfance le respect de l'autorité et l'amour du devoir. Ce respect, cet amour furent portés par lui jusqu'à la perfection. De quelle vénération n'entourait-il pas la mémoire de ce bon aïeul qui avait eu le courage d'être sévère pour le bien de ses petits-enfants. « Quelle reconnaissance nous lui devons, répétait-il ; tâchons de faire servir son exemple à l'éducation de nos neveux. » Il ne trouvait pas d'expression assez tendre, assez affectueuse, quand il parlait des auteurs de ses jours, de ce père chéri, de cette mère bien-aimée, si tôt ravis à leurs enfants. Cet amour, cette vénération, ce respect, Charles les reporta sur son aïeule.

« Après Dieu, écrivait-il du Mont-Dore, après Dieu, nous devons tout à grand'mère ; nous lui devons en quelque sorte l'existence, nous lui devons ce qui a embaumé cette existence, je veux dire le bonheur d'avoir eu une mère comme maman. »

La reconnaissance et l'affection, sans doute, le rendaient excellent pour la chère octogénaire ; mais s'il l'entourait ainsi de tant de déférence et de mille petits soins, c'était surtout par principe et par devoir : Honore ton père et ta mère, est-il écrit dans la loi de Dieu. Or, son aïeule, eût-elle été moins bonne, Charles l'aurait tout autant aimée ; eût-elle été meilleure encore, il ne l'aurait pas chérie davantage.

De ce respect dû à l'autorité, il avait appris à vénérer tous ses supérieurs sans distinction ; les vieillards le trouvaient toujours disposé à leur être agréable, et l'attention qu'il savait apporter en les écoutant leur procurait une extrême jouissance.

« En disant la famille, écrivait Charles, je comprends les serviteurs, car, dans le sens chrétien du mot, ils en font réellement partie. »

Comment celui qui pensait cela ne devait-il pas être le modèle des maîtres ? Aussi, quelle salutaire influence il exerçait sur tout son entourage ! Jamais querelles, jamais paroles blessantes parmi les personnes de service. M. Charles nous entendrait, disaient-elles, et cette seule crainte les retenait. Son commandement était aussi juste que doux et il agissait sans faiblesse à l'endroit du devoir : « Surveille, disait-il à sa sœur, avertis charitablement ; mais, sur les principes, sois inébranlable. »

Cette douceur, pleine de fermeté, que Charles conseillait aux autres, il savait la pratiquer lui-même, non seulement envers ses inférieurs, mais avec les siens. L'esprit de foi qui dominait tous ses sentiments, qui inspirait toute sa conduite, ne lui permettait pas de laisser passer, chez ceux qu'il aimait entre tous, une infraction même accidentelle et sans conséquence à ces saintes sévérités de la morale chrétienne qu'on regarde beaucoup trop facilement aujourd'hui comme des exagérations d'un autre âge. Sans s'ériger aucunement en censeur morose, Charles savait, dans ces circonstances, insinuer aimablement un conseil qui, donné avec un tact parfait, était toujours bien accueilli. On en jugera par les extraits suivants d'une lettre adressée à une de ses sœurs qui, pendant un voyage à Paris, était allée voir jouer *Faust*, à l'Opéra. Nous avons hésité d'abord à insérer dans notre récit cette lettre d'un caractère si intime. Nous cédons, en la publiant, aux instances d'amis éclairés qui nous affirment que l'accent de foi et de zèle dont ces lignes sont toutes vibrantes, peut faire du bien à plus d'une âme.

Voici la lettre presque toute entière :

« Marseille, 13 octobre 1885.

«... Toi à l'Opéra, chère et pauvre sœur ! Je dis *pauvre sœur*, car enfin, tu as dû souffrir de te trouver dans un milieu que ne connut jamais maman, et dont elle a toujours éloigné mes sœurs et ses fils autant que possible. Peut-être tes oreilles et tes yeux trouvaient le lieu enchanteur ; mais je sais qu'au fond de ton cœur tu souffrais de te trouver à un pareil spectacle, auquel tu n'aurais jamais assisté, si tu avais été entièrement libre de n'y point aller.

« Serais-je indiscret en te demandant quelles pensées a fait naître en toi la vue de cette multitude avide de voir et d'entendre ? Quel triste milieu ! Et comme la réflexion suivante a dû se présenter tout naturellement à ton esprit, docile aux inspirations de la grâce : Si tout d'un coup, au moment d'un de ces ballets qui auront fait rougir ta pudeur et qui fascinent les pauvres amateurs de ces dangereux spectacles, si, dis-je, à ce moment, une catastrophe était arrivée, ensevelissant sous un amas de ruines toute cette foule immense, quelle aurait été la part du ciel, quelle la part de l'enfer? Hélas ! Cette supposition s'est bien souvent réalisée.... Certes, je ne prétends pas que mourir sous les ruines d'un théâtre soit un signe certain de perdition ; peut-être, parmi toutes ces victimes, s'en trouve-t-il qui étaient venues là non par plaisir, mais par devoir, priant Dieu, auparavant, de les préserver des dangers auxquels leurs âmes allaient être exposées malgré elles, et sachant bien que, de tous les dangers du théâtre, les moindres sont encore les incendies et les explosions. Il y avait, sans doute, de ces âmes-là dans ces foules ; mais, hélas ! n'étaient-elles pas l'exception ?

« Crois-moi, chère sœur, si tu crois devoir encore accompagner quelqu'un au théâtre, tu dois y aller dans les dispositions que je viens de te signaler. Bref, en cette circonstance comme en toutes les autres, fais comme tu désireras avoir fait au moment de la mort. Si tu ne peux éviter d'aller au théâtre, il est une chose que tu dois éviter avec soin ; c'est d'en rappeler volontairement les images qui t'auraient causé une impression malsaine ; pour cela, évite autant que possible de parler théâtre, et surtout, ne te vante jamais d'y être allée...

« Voilà que contrairement à ma promesse, je te présente, pauvre sœur, beaucoup d'épines et point de roses. Mais je me trompe ; les roses sont dans ton cœur, et c'est pour le garantir que je tresse à leur entour cette couronne d'épines. Au reste, en était-il besoin ? Je suis bien persuadé que tu avais déjà toi-même élevé cette haie salutaire, et ce n'est pas sans raison que Dieu a voulu qu'avant d'aller à l'Opéra tu ailles visiter la Sainte-Chapelle, élevée par saint Louis, pour conserver la couronne d'épines qui transperça le front divin de Notre-Seigneur Jésus-Christ. Sans doute, tu as pensé aux flots de sang qui tombèrent de ce front adorable et qui vinrent obscurcir les regards de notre Sauveur, voulant ainsi expier les fautes de nos yeux fascinés par les spectacles mondains. Hélas ! chère sœur, durant ton séjour à Paris, bien des choses séduisantes solliciteront peut-être tes regards. Si alors tu comprends qu'il faut les détourner, pense aussitôt à l'auguste relique de la Sainte-Chapelle.

« Et puis, chère sœur, il est une chose qu'il ne faut pas oublier : c'est que plus sont grands les périls qui nous environnent, plus difficiles nos devoirs, plus souvent aussi nous devons approcher des sacrements qui purifient et qui fortifient. Il est évident qu'en voyage les occasions de fautes sont plus nombreuses que dans le train ordinaire de la vie ; c'est donc précisément alors qu'il faut recourir plus souvent au divin remède. Il est une chose qu'il faut éviter avec soin dans la fréquentation des sacrements : c'est la routine. Or, le moyen de l'éviter, c'est précisément de rester fidèle à ses pratiques de piété, même en dehors des circonstances ordinaires, et alors qu'on éprouve quelque peine à s'en acquitter.

« Mais je m'aperçois que ma lettre est déjà bien longue et, il faut l'avouer, bien inutile ; car, après tout, je parle à la fille d'une mère très chrétienne, à une élève du Sacré-Cœur, à une enfant de Marie, et, par conséquent, je ne lui apprends rien de nouveau. Toutefois, tu me pardonneras cette longue épître ; c'est mon affection seule qui me l'a dictée. J'ai voulu te faire profiter d'une expérience qui coûte toujours cher quand on a le malheur de l'acquérir à ses dépens. Il est des fruits qui paraissent fort doux et qui, une fois mangés, remplissent la bouche d'amertume. Paris est un arbre fécond en pareils fruits ; j'ai voulu te les signaler ; le théâtre en est un.

« Au surplus, le langage que je viens de parler, je pouvais bien le tenir à une grande fille qui, n'ayant connu jusqu'à ce jour que les joies peut-être un peu monotones, mais, en revanche, si suaves et si pures de la famille, s'est trouvée tout d'un coup au milieu de tout ce que le monde a de plus séduisant. Tu connais maintenant le monde avec ses spectacles, avec son luxe, avec son égoïsme, sacrifiant tout à l'amour de ses aises ; mais tout cela ne t'aura pas fait oublier le modèle qu'il nous a été donné d'étudier de si près. Je la vois encore, cette bonne mère, étendue là même à cette place où j'écris ; nous tous, autour de son lit, le cœur serré, elle seule calme. Qu'aurait-elle craint ? La mort, pour elle, c'était la victoire ; le monde, elle le quittait sans regrets ; jamais elle ne connut ses plaisirs trompeurs, tourments des heures dernières. Quant à nous, elle nous avait indiqué la route à suivre pour la rejoindre un jour. Aussi, quelle expression dans son dernier regard !...

« Voilà la mère que nous devons retrouver un jour ; voilà le modèle que nous devons imiter. En te souhaitant la fête, j'aurais dû te dire : imite ta patronne ; elle me pardonnera si je te dis d'imiter maman. C'est un premier pas à faire, et il est grand ; les autres viendront après si Dieu nous les demande.

« Je termine en te priant encore une fois de me pardonner une lettre qui, pour être une lettre de fête, n'a cependant rien de bien gai ; mais elle a au moins l'avantage d'être vraie. D'ailleurs, elle n'a rien qui doive t'assombrir ; car ces vérités sont, en somme, beaucoup plus consolantes que pénibles. Ma conclusion est tout simplement que nous devons toujours rester bons chrétiens, ce qui ne veut pas dire que nous devions paraître sombres et maussades, bien au contraire, car, ainsi que l'a dit spirituellement saint François de Salles : « Un saint triste est un triste saint. » Soyons tous des saints, mais pas de tristes saints, et, par conséquent, point de tristesse, ni pour moi d'avoir écrit cette trop longue lettre, ni pour toi de l'avoir lue, si toutefois tu as eu la patience de la lire. »

« CHARLES. »

Fidèle observateur des lois de l'Eglise, Charles souffrait de la nécessité de recourir aux dispenses ecclésiastiques pour le travail de la nuit du dimanche dans les usines ; pourtant, s'il renouvela lui-même auprès de Monseigneur la demande faite autrefois par son père, c'est qu'il le jugeait indispensable ; d'ailleurs, son curé et son évêque le jugèrent ainsi, puisque l'autorisation fut maintenue.

En 1885, à l'époque des élections qui agitaient la France, Charles usa de toute son influence pour attirer le plus de voix possibles au parti de l'ordre. Pour faire connaître leurs devoirs de citoyens, tant aux fermiers de la campagne qu'aux ouvriers français de l'usine, comme il ne pouvait les réunir, il prit la peine d'adresser à chacun d'eux une lettre qu'il écrivit lui-même. Mais c'était aux besoins spirituels de ces pauvres gens que s'étendait surtout sa sollicitude ; à l'approche du temps pascal il attirait, sous différents prétextes, ceux qui étaient les plus anciens et que leurs emplois lui faisaient mieux connaître, et, ses ordres une fois donnés, il ne laissait point partir les ouvriers sans les avoir engagés à suivre avec lui la retraite des hommes ; plusieurs étaient fidèles à ce rendez-vous. Pour les autres, Charles faisait afficher à l'entrée des huileries l'annonce des exercices donnés aux Italiens dans l'église de Saint-Lazare. Le jour où il arriva à l'usine, portant les pancartes et le pot de colle, les ouvriers se disputèrent le plaisir de placarder l'*avviso sacro* qui fut respecté de tous.

A propos d'affiches, nous ne pouvons passer sous silence un trait de la vie de Charles : il y a environ trois ans, quand notre ville fut inondée de placards odieux et immondes, la vertu de Charles, comme celle de tous les hommes de bien, s'alarma des dangers auxquels étaient exposés les yeux les plus chastes. Son indignation excitant son courage il ne craignit pas, au risque d'encourir les poursuites de la police, il ne craignit pas de lacérer en plein jour les horreurs de ce genre qui s'étalaient devant lui ; jamais il n'avait été surpris dans cette besogne, lorsqu'un dimanche, en revenant de la grand'messe, il aperçut au coin d'une de nos rues les plus passantes, une de ces représentations obscènes dont plusieurs collégiens cherchaient à interpréter le sens ; écartant alors ces peu scrupuleux lecteurs, il sortit un canif et se mit en devoir de détruire l'affiche. « Que faites-vous là ? s'écrie un agent de police en le saisissant par le bras. — Je fais ce que vous devriez faire, » répondit Charles sans s'émouvoir ; l'agent ne dit mot, mais les personnes présentes ne purent qu'approuver l'énergie de ce jeune homme qui avait eu le courage de ses convictions.

A la prière et aux œuvres de zèle, Charles joignait un travail important, assidu, et souvent aride et délicat ; mais, comme autrefois à Grenoble, travail et résultat tout était offert à Dieu avec une si grande confiance et un tel abandon, qu'au milieu des occupations les plus multiples et des affaires les plus laborieuses il ne paraissait jamais ni pressé ni préoccupé, il possédait en tout et toujours le calme et la patience, bases des plus solides vertus.

Nous avons essayé de montrer le pieux jeune homme tel qu'il était envers Dieu et envers les autres ; mais ce que nous ne connaîtrons jamais, c'est la rigueur avec laquelle il traitait sa propre chair. Tout ce qu'il nous a été permis de savoir, c'est que par des mortifications incessantes, il avait acquis un tel empire sur ses sens, qu'il avait fait de son corps l'esclave docile de sa volonté.

Pour obtenir le grade de docteur en droit, il ne restait plus à Charles qu'à préparer sa thèse ; le choix du sujet lui était laissé, à la condition toutefois de le faire agréer par un des examinateurs. Charles réfléchit, pria et voici quelles pensées l'inspirèrent : l'intérêt, ou mieux la sympathie qu'il portait à cette classe laborieuse au milieu de laquelle, à cause de la position industrielle de sa famille, il avait vécu dès l'enfance, le sort des travailleurs, « que le christianisme avait rendus si bons, et que notre triste époque a tant gâtés. » Le sort des travailleurs le préoccupait au plus haut point ; d'ailleurs, l'amour que Charles portait à ses subordonnés, était presque chez lui vertu de race. Son aïeul avait été un patron vénéré ; son père avait mérité le beau surnom de *père des ouvriers* ; sa mère était appelée la *bonne madame ;* ses frères et lui étaient chéris de tous. De plus, il se souvenait que trois générations de ces mêmes hommes avaient assisté aux joies et aux vicissitudes de sa famille, et que plusieurs de ces braves gens avaient montré un dévouement digne d'éloges pendant les mauvais jours de 1870. Sachant tout cela, il voulut que le fruit de ses laborieuses études fût consacré aux ouvriers et tournât à leur profit. Charles choisit alors pour sa thèse : *les Grèves,* question palpitante d'intérêt. M. L..., son sympathique et vénéré professeur, agréa ce sujet et accepta même la présidence de la thèse pour laquelle il recommanda au futur docteur de ne point se hâter, afin de traiter cette haute question avec le développement que méritait le sujet et la supériorité qu'il attendait du talent de son auteur.

Plusieurs affaires de famille retardèrent d'abord ce travail, et lorsque Charles put enfin s'y livrer d'une manière sérieuse, la maladie vint l'interrompre, ou, pour mieux dire, vint le briser pour toujours.

IX

Premières atteintes de la maladie. — Une saison au Mont-Dore

Charles dont la constitution était très forte et la santé robuste, ressentit, au mois de mai, les premières atteintes d'un mal qui s'annonçait sans gravité et que les docteurs crurent enrayer en prescrivant le repos d'esprit, un traitement thermal et l'air des montagnes, c'est-à-dire une saison au Mont-Dore, et un voyage en Suisse. Charles, qui ne se préoccupait pas de l'avenir et qui, du reste, se sentait beaucoup mieux et se croyait guéri, partit avec sa sœur plutôt par obéissance que par plaisir, car il regrettait d'interrompre la préparation de sa thèse pour laquelle il venait de puiser dans la riche bibliothèque d'Aix tous les matériaux qui lui étaient nécessaires. Le séjour qu'il fit dans cette ville, au commencement de juillet, satisfit sa ferveur en lui procurant la consolation de suivre l'octave de Notre-Dame de la Seds, dévotion chère aux Aixois.

Ayant pris des billets circulaires, Charles et sa sœur visitèrent d'abord le Puy et Clermont ; au retour du Mont-Dore, ils devaient saluer Notre-Dame de Fourvière, traverser la Suisse, faire un pèlerinage à la Salette et revenir par Grenoble où ils comptaient passer quelques jours. Le programme, on le voit, était charmant, et prouvait bien qu'on était sans alarme pour le cher malade ; le bon Dieu, hélas ! décida des choses autrement.

A peine arrivé au Mont-Dore, les fatigues du voyage et une insolation prise en route, occasionnèrent à Charles une effrayante hémorragie qui se renouvela pendant plusieurs jours. Le sang s'arrêta enfin, mais la congestion pulmonaire persista malheureusement, malgré l'habileté des docteurs et la bonne volonté du malade.

Pendant plus d'un mois, Charles attendit au Mont-Dore le moment propice au retour ; seul, à cent vingt-sept lieues de son pays, dans une modeste chambre d'hôtel, privé de ce doux bien-être du chez soi et de ce beau soleil si cher aux Provençaux, n'ayant pour tout entourage que sa sœur, il fut un modèle admirable de patience et de résignation ; jamais une plainte, ni une parole d'humeur ; au contraire, il semblait oublier ses souffrances et, par une gaieté d'emprunt, il trouvait le moyen de rassurer sa famille absente et de consoler sa sœur. Loin de ralentir sa ferveur, la maladie ne la rendait que plus ardente. « Si tu n'es pas fatiguée, Marie, disait-il, prions en commun. »

C'était par l'*Angelus* que commençaient ses journées et la méditation, l'union au saint Sacrifice, l'examen particulier, les lectures spirituelles et le rosaire y trouvaient leurs places comme par le passé.

« Ce qu'il me faut, bien plus que l'air natal, c'est le bon Dieu ! Quand le recevrai-je ?.. Sans lui, mon pauvre cœur perdra patience... — La volonté de Dieu avant tout ! » répondait-il, quand le Révérend Père Missionnaire qui avait la bonté de venir le voir fréquemment, l'exhortait à attendre encore parce qu'il n'était pas assez bien pour communier à jeun, et qu'il n'était pas en danger pour recevoir l'Extrême-Onction et le saint Viatique.

Charles se confessait néanmoins tous les vendredis, et à chaque instant du jour son cœur s'envolait vers le saint Tabernacle. Il voulait que sa sœur ne changeât rien dans ses habitudes et qu'elle assistât à la messe tous les matins,

« Pourquoi craindrais-tu de me laisser seul ? N'ai-je pas mon bon ange et la sainte Vierge pour me protéger ?.. » Si tu le veux, avant de sortir, récitons ensemble une petite prière et tu seras tranquille, car tu le sais : Tout ce que Dieu garde est bien gardé........ Surtout, poursuivait-il, n'oublie pas les visites au Saint-Sacrement : elles te serviront de grâces après le repas, tes poumons y gagneront un peu d'air, et nos âmes y puiseront une force nouvelle, car dans ces chères visites, je pense que tu consentiras à ce que j'y sois de moitié. »

Le jour de son arrivée au Mont-Dore, Charles fit l'heureuse rencontre d'un de ses anciens surveillants du collège ; cet excellent prêtre eut la charité de lui prodiguer, pendant près de trois semaines, son dévouement et son affection. Ce fut ce bon curé de Brujas (Ardèche), qui procura au cher malade l'honneur de faire la connaissance de prêtres très éminents qui venaient encourager Charles, et, disons-le aussi, qui cherchaient à s'édifier près de lui.

« Demandez pour moi la patience, répétait-il ; je n'ai besoin que de cela, car, pour le reste, ma sœur a la bonté d'y pourvoir. »

Ces visites étaient toujours reçues avec plaisir et reconnaissance, et ordinairement il sollicitait de ces pieux ecclésiastiques la faveur d'être béni par eux.

Parmi ces prêtres, dont les pieux entretiens adoucirent ainsi au jeune malade les longues heures de souffrance loin du foyer de famille, nous devons citer avec une particulière reconnaissance, M. le chanoine Guillibert, alors supérieur du Collège Catholique du Sacré-Cœur, aujourd'hui vicaire général d'Aix, qui vint plus d'une fois s'installer au chevet de Charles, dans les moments où sa sœur était forcée de s'absenter, et qui fut profondément touché de la résignation et de la ferveur dont il était le témoin édifié.

Avec une exactitude qui n'avait d'égale que sa confiance, Charles se joignait aux neuvaines de prières que l'on offrait pour lui de toutes parts.

« Demandons la guérison, disait-il ; mais, d'avance, acceptons tout ce que le bon Dieu voudra. »

Lorsqu'après une série de rechutes, sa sœur lui demanda ce qu'il pensait de son état : « Quand on a Dieu pour père, répondit-il, de quoi peut-on se préoccuper ? »

...... La veille du 15 août, il exprima à sa sœur, avec cette délicatesse qui lui était particulière, combien il regrettait que ce séjour au Mont-Dore la privât, en pareille circonstance, des gentils compliments de ses neveux et de tant de caresses. « Pour moi, poursuivit-il, je souhaite que ma guérison soit la moindre des grâces que je prie ta sainte patronne de t'accorder... »

Que peuvent donc être ces grâces si précieuses ? répliqua sa sœur, car, que peut-il y avoir de plus cher pour moi que ta guérison ?

« Ah ! Marie, ce que tu dis-là n'est pas chrétien ; désirons la santé de l'âme avant celle du corps ; puis toujours et par-dessus tout l'accomplissement de la volonté de Dieu en nous ; avec cette soumission parfaite, les croix ont leur consolation. »

Plein de sollicitude pour celle qui lui prodiguait ses soins lorsque la nuit elle le veillait, ou qu'à cause de lui elle abrégeait ses repas, il souffrait et la suppliait avec tendresse de ménager sa santé. La piété seule de Charles pouvait inspirer à sa reconnaissance les expressions délicates dont il se servait pour remercier du moindre service.

« Si, à Marseille, tous les maîtres sont aussi bons que M. Ranque, on doit être bien dans ce pays, » disaient un jour entre elles les servantes de l'hôtel.

Lors de sa première hémorragie, qui fut vraiment effrayante, Charles avait dit à sa sœur :

« Je ne me crois pas bien mal ; pourtant, quoi qu'il arrive, mes affaires sont en règle, rien ne me fait de la peine, je suis prêt ; néanmoins, tu connais mes sentiments et je connais ta générosité et ta foi ; donc, sans détour, fais pour moi tout ce que tu voudrais que je fisse pour toi en semblable occurence. »

Les docteurs, interrogés, ayant déclaré qu'il n'y avait aucun danger, et le malade, du reste, allant mieux, on demeura tranquille sur ce point ; mais un jour, Charles se trouvant seul quand le médecin arriva : « Docteur, lui dit-il, si je venais à être plus mal, ne me le cachez pas, je vous en supplie, mais ménagez ma sœur, elle souffre tant ! »

C'est de M. M... lui-même, qui en fut touché jusqu'aux larmes, que nous tenons ce détail.

« Merci de vos bonnes prières, écrivait Charles, le 4 août, c'est le seul moyen que vous ayez pour hâter mon retour ; pour obtenir ce résultat, nous avons aussi recours aux médecins et aux remèdes ; mais ceux-là ne savent que ce que Dieu leur permet de savoir, et ceux-ci n'ont d'efficacité que si Dieu leur en donne ; donc, c'est entendu, prions. »

Voici le fragment d'une autre de ses lettres :

« Le docteur M... a parlé ce matin d'une promenade en chaise à porteurs.... En chaise à porteurs, vous lisez bien.... Moi me faire porter par mes semblables, fi donc!.. J'allais me récrier, quand des sollicitations faites pour avoir la préférence, m'ont donné à réfléchir ; et, somme toute, il me semble que c'est par un pur préjugé qu'on a tant déblatéré contre les chaises à porteurs de l'ancien régime ; quel deshonneur, en effet, y a-t-il à porter un homme ?... Et par contre, quel honneur y a-t-il pour un homme à être porté ?... On porte bien le fumier pour le jeter à la terre, et ma pauvre guenille, que l'on portera ces jours-ci dans les rues du Mont-Dore, sera bien portée un jour pour être jetée en pâture aux vers. Non, il n'y a pas à s'enorgueillir d'être porté par des porteurs, qui souvent valent mieux que vous. »

Quelques jours après, il adressait à sa famille la lettre suivante :

« Aujourd'hui, première sortie en chaise à porteurs ; comme de droit, cette première sortie a été pour aller me prosterner devant le saint Tabernacle, et maintenant il faut me reposer de la fatigue de m'être fait porter, car je suis si faible, que pour moi cela en est une ; aussi, n'écrirai-je ce soir à personne, pas même à vous, si non pour vous inviter à remercier Notre-Dame des Neiges qui a protégé cette promenade. »

Le traitement du Mont-Dore est assez bizarre, le voici décrit par Charles lui-même dans une lettre à sa tante :

« Le matin, on se revêt d'un costume particulier, comprenant : un pantalon à pieds qui sert à la fois de pantalon et de bas, une veste de flanelle à capuchon, des sabots. Quand on est ainsi habillé, deux hommes viennent vous prendre dans une espèce de boîte tenant le milieu entre la guérite du soldat et la boîte où l'on attend en paix la trompette effrayante du jugement dernier.

« Pour vous en donner une idée, je vais essayer d'en dessiner une vue de profil et une autre vue de trois quarts. (Ici se trouvent les deux ébauches.) Je ne sais, chère tante, si ces deux barbouillages vous donneront une idée de la prétendue chaise où je m'installe tous les matins. Une fois dans cet étouffoir, on me porte jusqu'à l'établissement; là, toujours en chaise à porteurs, on me hisse jusqu'au premier étage. Pauvres porteurs ! En voyant la sueur inonder leurs blouses, puis-je regretter de ne plus peser quatre-vingt-quatre kilos comme autrefois ?

« Enfin, me voici arrivé à la salle dite d'*aspiration ;* un petit purgatoire, moins les flammes, qui sont remplacées par des bouches de vapeur d'une odeur assez désagréable. A côté de soi, on voit passer et repasser des promeneurs qui, après quelques pas, disparaissent bientôt, tant est épais le brouillard qui envahit les salles ; je dis les salles, car il y en a de plusieurs degrés. Pour me ménager, on m'a désigné la salle la moins chaude, elle ne doit pas avoir plus de trente-cinq degrés. Après une demiheure de cet emprisonnement, je suis censé suer ; il n'en est rien ; qu'importe, on m'enveloppe dans une couverture de laine et je me remets en boîte, je veux dire à chaise à porteurs, en ayant soin de prononcer le plus vite et le plus distinctement possible les mots suivants : « Source Bertrand, verre 223 », ce qui signifie qu'il faut me porter à la source Bertrand et me servir un verre d'eau chaude dans un verre qui m'appartient et qui porte le numéro 223. Ceci fait, il me reste à dire : « Maison Gay, annexe « de l'hôtel du Vatican », où nous demeurons, et arrivé là, m'étendre tout habillé dans mon lit bien chauffé, car la bassinoire entre aussi dans le traitement. Rester couché ainsi pendant trois quarts d'heure, se lever pour prendre un bain de pieds bien chaud, puis dîner, et, dans l'après-midi, prendre.... devinez?... un bain de mains d'eau thermale. Voilà en quoi consistent ce traitement et ce remède que nous sommes venus chercher si loin ! »

Les dernières lettres de Charles revêtaient une originalité charmante ; quelques-unes même étaient ornementées de vignettes aussi spirituelles que grotesques, destinées, comme nous l'avons dit, à tranquilliser les chers absents et à leur faire attendre avec patience l'heure du retour. Cette heure sonna enfin ; déjà la pluie et le froid avaient chassé presque tous les baigneurs ; bientôt le pays allait être désert, quand les docteurs jugèrent Charles assez fort pour entreprendre, sans témérité, un si long voyage. Octave, qui, depuis quelques jours, était venu rejoindre son frère au Mont-Dore, prit alors toutes les mesures que son affection et la prudence lui suggérèrent pour que le cher malade pût trouver, soit en voiture, soit en wagon, tout le bien-être possible.

Ce fut le 27 août que Charles quitta le Mont-Dore où il laissa dans le cœur de tous ceux qui l'avaient approché le meilleur souvenir de sa patience et de ses vertus. Désirant mettre ce voyage sous la protection du divin Maître, il voulut s'arrêter à l'église, où il fit une longue et fervente prière. Comme c'était un vendredi, Charles et sa sœur récitèrent en voiture le *Stabat*, puis les trois parties du Rosaire ; la joie du retour et le beau temps semblaient avoir consolidé l'amélioration que le convalescent ressentait depuis quelques jours. Le trajet à travers les montagnes fut charmant ; Charles arriva sans la moindre fatigue à Clermont-Ferrand, où il aurait aimé rendre ses hommages à Notre-Dame du Port et placer sous sa protection la seconde partie du voyage ; mais le départ du train ne lui en laissa pas le temps ; cependant, la sainte Vierge dut tenir compte de cette intention, car Charles passa en wagon une nuit excellente, et à son réveil il fut heureux de se trouver dans sa chère Provence qu'il préférait à l'Auvergne et au Velay Après avoir récité l'*Angelus* au son des cloches de Tarascon, il n'eut plus qu'un désir : saluer Notre-Dame de la Garde et se jeter dans les bras des siens.

Depuis la sortie du tunnel de la Nerthe, Charles, agenouillé sur la banquette du wagon, priait, et épiait l'instant où le profil de la sainte colline se découperait sur l'azur du ciel ; mais le brouillard prolongea son attente ; ce ne fut qu'à l'Estaque qu'il aperçut la basilique ; toute son âme sembla alors passer dans ses yeux. Son cœur débordant d'amour et de reconnaissance, il récita d'une voix ferme le *Salve Regina* et le *Magnificat*. Une demi-heure après il était à Marseille.

X

Les derniers jours

L'allégresse du voyageur n'eut d'égale que celle de sa famille ; quelles douces larmes la joie fit répandre! On revoyait Charles après avoir craint de le perdre, et on le trouvait beaucoup mieux qu'on ne pensait, car sans la moindre fatigue il put monter au premier étage ; passant devant sa chambre, il s'y arrêta pour prier, puis il se rendit dans l'appartement qu'on lui avait préparé et qui, étant au nord, convenait mieux à son état.

Heureux d'être chez lui, Charles fut d'une gaieté charmante qui se communiqua à tous les siens. Il guérira, disaient sa grand'mère et sa bonne tante ; il guérira, répétaient ses frères et ses sœurs ; il guérira, il guérira, était aussi le cri des serviteurs fidèles et des amis accourus pour fêter son retour. Il ne guérira pas, déclara la science, dont il fallut entendre le terrible arrêt. En effet, la secousse du voyage avait, le soir, ramené la fièvre qui, à son tour, avait produit une nouvelle et très grave congestion; le pouls était bondissant, une hémorragie était imminente, l'espoir ne pouvait reposer qu'en Dieu. Mais ce Dieu si puissant et si bon, on le suppliait partout; plus de dix neuvaines de messes étaient célébrées à cette intention ; un grand nombre de communautés religieuses s'unissaient à ces prières et offraient leurs communions ; comment le Seigneur pourrait-Il résister à tant d'instances ; pourquoi ne laisserait-Il pas, à une famille déjà si éprouvée, celui qui était son appui et sa joie ? Un moment en effet on put espérer encore, mais, hélas ! ce ne fut qu'un court embelli dans cet horizon si noir.

A Marseille, comme au Mont-Dore, l'état de souffrance de Charles ne l'empêcha pas d'accomplir avec une exactitude parfaite ses moindres exercices de piété, et jusqu'aux huit derniers jours de sa vie, il désira que les prières fussent faites en commun près de lui.

« N'ayons pas de préférence, avait-il écrit lorsqu'il jouissait d'une santé parfaite, vivre ou mourir, peu importe, pourvu que nous vivions et que nous mourions pour Dieu ! Vivre chrétiennement pour mourir chrétiennement, le bonheur est là. » (*25 mai 1884.*)

Dans une autre de ses lettres, il avait dit encore :

« Pour le chrétien, communier c'est être prêt à mourir. » (*20 janvier 1884.*)

L'Eucharistie était donc l'unique passion de cette belle âme, et Charles, privé depuis deux mois des visites de son divin Maître, se dédommageait de ce sacrifice par la communion spirituelle qui l'unissait constamment à Dieu. Aussi, avec qnels transports de joie apprit-il que son état, devenu plus grave, permettait sans abus de lui administrer les sacrements :

« Je vais donc enfin recevoir le bon Dieu, dit-il, quel bonheur ! Faisons tous bon accueil au divin Maître ; il est si doux de lui ouvrir sa maison et son cœur ! »

Tout fut disposé comme le malade l'avait désiré, et quand il entendit le son aimé de la petite cloche du saint Viatique, et qu'il aperçut le prêtre portant son Jésus, son regard s'anima et son visage sembla transfiguré. C'était le 13 septembre, à deux heures.

Charles passa dans le recueillement et l'action de grâce le reste de l'après-midi ; il priait et remerciait, car il savait que Notre-Seigneur, en se donnant à lui, lui avait apporté, avec toutes ses grâces, la patience et le courage nécessaires pour l'heure suprême qui devait lui ouvrir les portes de l'éternité.

Afin de conserver une existence aussi chère, la science, jointe au dévouement et à l'amitié, tenta de nouveaux efforts, mais tous demeurèrent inutiles et n'eurent d'autre résultat que celui de faire ressortir davantage la soumission, la générosité et la patience du malade ; la médication, très compliquée, devait être pour lui une véritable fatigue ; néanmoins, jusqu'à la dernière minute il s'y soumit : *Si c'est l'heure*, était sa seule réponse quand on lui offrait une potion ; jamais il ne prit une pilule ou seulement une goutte d'eau sans faire, avant et après, le signe de la croix, et de sa voix la plus douce, avec son aimable sourire, il ajoutait toujours : *Merci*. Chez Charles, aucun mouvement d'humeur, aucune plainte, même quand on manquait d'adresse en pansant les topiques dont son dos et sa poitrine étaient couverts. De son lit, il prêchait le bon exemple et donnait aussi de grandes leçons. Un jour, un de ses amis demande à le voir. Comme cette visite l'aurait sûrement fatigué : « Je vais prévenir que tu reposes, dit sa sœur. — Non ! Non ! reprit-il, pourquoi mentir ainsi? Dis que je suis fatigué ; la chose est toute simple, elle ne peut fâcher personne, et surtout elle n'offense pas le bon Dieu qui est la vérité même. »

Une chose que Charles ne pouvait supporter, c'était qu'on louât sa patience : « Si tu m'aimes véritablement, observait-il à sa sœur, ne me parle plus ainsi ; ne sais-tu pas que le démon, qui fait bonne garde autour de nous, pourrait bien se servir de ton langage pour me faire perdre en une minute les grâces que le bon Dieu m'accorde avec tant de bonté. »

Chaque fois que l'on annonçait la visite d'un docteur, il récitait le *Veni sancte* et faisait un acte d'abandon à la volonté de Dieu, acceptant ainsi d'avance les nouvelles prescriptions. C'était toujours de l'air le plus gracieux que Charles remerciait du moindre service :....... « *Que vous êtes bons...... Que de peine vous prenez pour moi...... Merci.........* » Ou par d'autres petites phrases il témoignait sa reconnaissance.

Une religieuse de l'Espérance le veillait chaque nuit ; mais, par une affection facile à comprendre, ses frères et ses sœurs se faisaient un devoir de se remplacer auprès de lui pour lui prodiguer tous leurs soins.

Charles, qui possédait le secret de toutes les délicatesses, ne laissait pas deviner à son entourage qu'il comprenait la gravité de son état ; seulement, si devant lui on parlait de sa guérison, ou de quelque projet s'y rattachant, il levait les yeux au ciel et ne répondait pas. — Voulant en quelque sorte habituer ses sœurs à une séparation qu'il entrevoyait aussi douloureuse que prochaine, il se montrait à leur égard moins affectueux que de coutume, tandis qu'avec ses frères il se laissait aller à toute l'effusion de son cœur. « Mon bon petit Octave, merci ! Que le bon Dieu te bénisse pour tous les services que tu me rends..... Joseph, pardon et merci.... tu me soulages ! »

Puis, de ses bras, il enlaçait le cou de ses frères et les embrassait tendrement.

Depuis le jeudi, 18 septembre, l'état de Charles s'était compliqué d'un épuisement du cœur qui rendait le danger plus pressant encore, sans toutefois lui faire rien perdre de sa lucidité d'esprit et de son admirable patience. Le vendredi, on lui amena de la campagne l'aîné de ses neveux, âgé de cinq ans, et qu'il n'avait plus vu depuis son départ pour le Mont-Dore; cette visite lui fit plaisir ; il en remercia sa belle-sœur, puis, embrassant l'enfant : « Charles, lui dit-il, sois bien sage ; aime toujours le bon Dieu, et apprends aux autres à l'aimer. » — Les journées du samedi et du dimanche furent très mauvaises ; l'oppression était effrayante ; pourtant, moralement, Charles était toujours le même, aussi calme, aussi résigné, aussi bon pour tous ceux qui l'approchaient.

Le lundi matin se sentant plus oppressé encore et comprenant que sa mort était prochaine, il fit de lui-même entre les mains de son confesseur le sacrifice de sa vie, il le fit pour l'Eglise, pour la France et pour sa famille ; le Père lui donna ensuite l'absolution générale et l'indulgence de l'article de la mort..... Charles demanda alors son crucifix qu'il contempla et baisa avec un respect plein de foi et d'amour ; puis quand le Père fut parti s'adressant à ses sœurs il leur dit : « Il faut nous aimer en Dieu et pour Lui seulement. » Il pria ensuite sa sœur aînée de placer son crucifix de manière qu'il pût l'avoir constamment sous les yeux et qu'il fût aussi à sa portée lorsqu'il en aurait besoin.

Il resta calme ; comme c'était l'heure de lui donner un

bouillon, sa jeune sœur étant allée le préparer il se trouva seul avec sa sœur Marie et lui parla ainsi :

« Je te rappelle tout ce que je t'ai dit au Mont-Dore ! Rien ne me fait de la peine, mes affaires sont en règle, tu trouveras mon testament dans le tiroir de gauche de mon bureau, en-dessous se trouve un paquet assez volumineux de notes spirituelles intimes que je te prie de brûler sans les lire..... Tu écriras à mon professeur, Monsieur L... président des conférences de Grenoble, à mon ami Charles A... T..., novice de la Compagnie de Jésus, à qui je dois une réponse à la lettre que tu trouveras dans mes papiers du Mont-Dore et qui te donnera son adresse..... Tu préviendras aussi le Révérend Père Directeur de l'Adoration Nocturne de Grenoble, afin que dans toutes les Œuvres dont j'ai eu le bonheur de faire partie on prie pour moi....

« Dans mon testament n'est point mentionnée ma bibliothèque ; mais mon intention est de léguer tous mes ouvrages de droit à la Faculté Catholique de Lyon si elle les accepte.... C'est tout ce que j'avais à te dire. »

Mais voyant que sa sœur ne pouvait retenir ses larmes : « Tu manques toujours de confiance, ajouta Charles, *Dieu avant tout !* Si une guérison est plus utile que le sacrifice ne crois-tu pas qu'Il puisse encore me guérir ? »

Plus tard, vers 3 heures, Charles demanda un peu de rhum et après avoir pris ce cordial il appela ses frères, les embrassa et leur fit quelques recommandations particulières ; c'était plus que ne le permettaient les forces du malade, il eut une crise que l'on crut être la dernière ; il se remit pourtant ; mais sa sœur le voyant plus fatigué lui demanda si avant le soir il ne voulait pas revoir le Père ;

« Merci, dit-il, je suis bien tranquille..... Rien ne me fait de la peine. »

Vers 7 heures il reçut la visite de monsieur le Curé qui le bénit, ensuite celle du docteur A.... « Permettez que je ne me tourne pas, dit Charles, j'ai enfin trouvé une position que j'ai cherchée pendant longtemps ; puis, comme monsieur A... partait, il lui serra la main avec effusion. « Merci et adieu, ajouta-t-il. » Le bon docteur comprit tout ce que voulaient lui exprimer ces simples paroles.

A 8 heures les angoisses de Charles étaient extrêmes ; cependant il paraissait calme, car alors, comme durant tout le cours de sa maladie et même au moment des plus violents accès de fièvre, il était tellement maître de lui-même, qu'il fallait un œil exercé pour reconnaître le redoublement et l'agitation auxquels il était en proie. Se trouvant plus oppressé, il demanda son crucifix, le baisa avec amour puis le rendant à sa sœur : « Voilà, dit-il, le meilleur oxygène, près de la croix on respire mieux! » Un instant après, un ancien et très dévoué serviteur entra dans la chambre. Charles lui tendit la main, lui sourit et lui fit un adieu si touchant que le pauvre homme sortit en fondant en larmes; mais quand sa grand'mère vint un moment plus tard, Charles, quoique pensant qu'il ne la reverrait plus, afin de ménager la sensibilité de la chère octogénaire, se contenta de lui souhaiter une bonne nuit.

Cette nuit, hélas, devait être la dernière; son frère et sa sœur aînés ne le quittèrent pas; il prit régulièrement les potions marquées à chaque demi-heure, respira un peu d'oxygène, puis, à 3 heures 1|2, se sentant plus oppressé et plus faible et voyant que son pouls devenait très irrégulier et sa sueur plus abondante, il pria son frère Joseph d'éveiller son ami, jeune docteur, qui avait la bonté de passer la nuit à la maison depuis que l'état du cher malade s'était aggravé. Son frère Octave et sa sœur Thérèse furent appelés ; sa belle-sœur et une de ses tantes vinrent aussi. « Est-ce l'agonie qui commence, dit Charles à son ami en lui présentant la main pour lui faire tâter son pouls. ».... « Tu es en effet plus fatigué, recommande-toi au bon Dieu, » répondit le docteur... « Marie, ajouta le mourant, donne-moi une croix.... » Et la portant alors à ses lèvres il l'embrassa avec transport. « Mon Dieu ! que votre volonté se fasse en moi toujours.... toujours.... Mon Dieu je vous aime de tout mon cœur..., de toutes mes forces..., et j'aime mon prochain pour votre amour.... » Sa voix était forte mais entrecoupée, son regard levé au ciel exprimait la confiance.... Souffres-tu, lui demanda Joseph.... — Non, je ne souffre pas, mais je sens que je vais passer un mauvais moment. »

A 4 heures il prit une potion et eut encore la force de faire les deux signes de la croix. « Merci, Thérèse » ajouta-t-il, comme de coutume. Un moment sa respiration devint plus bruyante : « Fermez la porte, dit-il, qu'au moins je n'éveille personne, ».... Puis se tournant vers ses parents....« Priez tous pour moi, » recommanda-t-il. Marie récita les litanies de la sainte Vierge, auxquelles il se joignit ; la sœur de l'Espérance dit ensuite les prières des agonisants ; on entendit Charles répondre d'une voix forte : « Priez pour moi..... priez pour moi. » Puis il baisait sa croix.... « Seigneur, je suis tout à vous !.... Mais quelle lutte !.... quel combat !... Par où faut-il que je passe ?... — Est-ce que quelque chose t'effraie, lui demanda sa sœur ? ... — Non Marie..., j'ai bien confiance. » Et poursuivant : « Mon Dieu je vous demande pardon, vous savez que je vous aime,disait-il en embrassant son crucifix « .... Mes pieds se refroidissent... » On lui appliqua alors les sinapismes.... « Merci, dit-il.... Que de peine je vous donne.... Maintenant mes mains deviennent froides.... puis mon front.... Mon Dieu votre volonté avant tout !... » S'adressant à son ami : .. « L ... si à l'heure de la consultation je vis encore, recommande à ces messieurs de ne pas m'imposer de nouvelles souffrances pour prolonger mes instants.... Je suis si faible que je pourrais ne pas les supporter comme il faut.... »

Charles était calme, il priait doucement les yeux toujours levés au ciel ; il entendait, il voyait et se rendait compte de tout ce qui se passait autour de lui. Apercevant sa belle-sœur ; « Vous ici, Marie, lui dit-il, que vous êtes bonne !... »

Chaque fois que l'on essuyait la sueur qui inondait ses tempes, par un sourire il remerciait.,... « Quel est le saint de ce jour, demanda-t-il ?... C'est saint Mathieu.... — Alors ce sera ce glorieux Evangéliste qui m'introduira dans le ciel.... »

Son pouls se ralentissait toujours, sa respiration devenait plus courte et plus faible. Charles continuait à prier ; il était 5 heures, l'heure d'un cordial, sa jeune sœur lui en humecta les lèvres.... « Merci, » dit-il tout bas ; puis tout haut il ajouta : « Merci de tout ce que vous avez fait pour moi !... Mes frères !... Quand je serai mort, ne m'oubliez pas dans vos prières.... » .... Des sanglots contenus jusqu'alors furent la seule réponse de sa famille réunie.

A son tour, reprit Marie : « Prie pour chacun de nous » Elle lui nomma successivement ses frères, ses sœurs, ses neveux, l'enfant que l'on attendait et dont il devait être le parrain; puis elle lui fit tout bas quelques recommandations qu'il entendit encore.

« Mon Dieu !... je vous aime !...., dit Charles d'une voix plus faible.... Jésus.... Marie.... Joseph..... mon bon ange,... mes saints patrons.... priez pour moi.... assistez-moi.... ».... Sa connaissance était toujours parfaite, mais son pouls ne battait presque plus. — A 5 heures 10 on entendit encore, mais bien bas : « Seigneur, appelez-moi et dites-moi d'aller à vous.... » Puis avec un suprême effort Charles ajouta : « Mon Dieu recevez mon âme !... Mon Dieu.... je vous aime !... »

Vingt minutes après les cloches de la paroisse sonnèrent l'*Angelus*. Charles l'entendit sans doute car au mouvement de ses lèvres on put comprendre que, selon la pieuse coutume à laquelle il avait été si fidèle, il s'unissait à la salutation de l'ange qu'il devait cette fois, il nous est permis de le croire, achever au ciel.

Si l'agonie de Charles fut une prière, on peut dire que son trépas fut un sommeil ; sans cri, sans effort, sans verser une larme, il rendit sa belle âme à Dieu. Il était 5 heures 35 du matin, de mardi 21 septembre 1886. Il y avait un ange de moins sur la terre et dans la gloire un nouvel élu.

Le pieux devoir que Charles avait rendu à sa mère, il le reçut de l'amitié, aussi du ciel a-t-il dû regarder avec reconnaissance l'ami qui ensevelissait sa dépouille mortelle comme le prêtre dévoué qui de loin accourut pour lui donner la bénédiction dernière et l'accompagner au tombeau.

Aix. — Imprimerie J. NICOT, 16, rue du Louvre. — 8355

Imprimé en France
FROC021820210120
23239FR00022B/407/P

9 782329 356709